U0110313

32 明代

西元 1368～1643 年 ［注音本］

全新 吳姐姐講歷史故事

吳涵碧◎著

目錄

【第686篇】

胡惟庸又卑又亢。

在洪武年間四大獄之中，胡惟庸案牽連最廣，影響最遠。自此而後，明太祖廢丞相，罷中書省。

胡惟庸是安徽定遠人，在明太祖還附屬於郭子興之下，用兵打和州之時，前來投靠。這一年是元朝至正十五年（西元一三五五年）。

胡惟庸人很靈巧，又極會鑽營，先是在元帥府裏當差。明朝建立以後，一躍爲寧國主簿，而縣令，而吉安通判，而湖廣僉事，再內調爲太常少卿，官運亨通。

洪武三年正月，他再升爲中書省參知政事，李善長告老還鄉之後，他更爬到了左丞相。

中國人常喜歡用『不亢不卑』形容一個人恰如其分，既沒有自傲自大，也沒有低三下四。很不幸的，在歷來官場上卻是又亢又卑的人走紅，對上諂媚巴結，對下頤指氣使的人容易扶搖直上。

胡惟庸不但對底下人像兇神惡煞，甚且連右丞相汪廣洋，他也不放在眼裏。

汪廣洋爲人懦弱怕事，只要多開金口，胡惟庸一個眼色拋過去，汪廣洋立刻接口：『今日之事，一切請胡兄作主。』

胡惟庸很欣賞汪廣洋的『上道』，眉開眼笑道：『昨兒個剛有幾罈山西汾酒運到，待會兒給你送過去。』

一聽到有好酒，汪廣洋猛嚥口水。他生平無大志，唯愛喝兩盃，只要逮到機會，總是不醉不歸。對政事，樂得睜隻眼閉隻眼，隨便胡惟庸胡整亂搞。

當然，胡惟庸『亢』的一面，明太祖是看不到的，胡惟庸在皇帝面前，完全變了一張嘴臉，史書上用『曲謹』二字形容他的巴結功夫。

『曲』是曲意承歡，只要是明太祖喜歡的，胡惟庸總是大舉讚好。譬如說，明太祖雖然是個窮和尚出身，不學無術，即位以後，卻喜歡作文吟詩，附庸風雅。

在一個秋風送爽的季節裏，明太祖忽然詩興大發，隨口吟出：『百花花發我不發，我若發時都駭殺，要與西風戰一場，遍地穿就黃金甲。』殺氣騰騰的明太祖竟然把菊花也戴上了黃盔甲，眞虧他的。

如此一首粗率的打油詩，胡惟庸就有辦法把它形容得舉世無雙，『比李白杜甫的詩還要好。』明太祖被捧得樂陶陶。

『謹』是恭謹小心。明太祖出身不佳，最怕人家看他不起，胡惟庸永遠唯唯諾諾，低下頭不斷點頭答應：『是是是』，極得太祖的歡心。足智多謀的劉伯溫，老早看出胡惟庸絕非善類。當初明太祖曾經詢問劉伯溫，對於胡惟庸擔任宰相的意見。

劉伯溫坦率地說：『我恐怕這個人會像劣馬一般，把韁繩扯斷，陛下會駕馭不了。』

一聽這話，太祖怫然不悅。劉伯溫見如此光景，及早告老還鄉，不料，最後還是死在胡惟庸手上。

胡惟庸假心假意帶著醫生爲劉伯溫診病。劉伯溫服了名醫的名藥，『腹中如拳石』，沒多久，藥到命除。

劉伯溫一向直說敢言，他當面揭發胡惟庸的奸惡不奇怪，奇怪的是，一向圓融的大將軍徐達也忍不住奏上一本，要明太祖提高警覺。

徐達不但能征善戰，而且軍紀嚴整，徐達封信國公之時，明太祖特地寫了誥文褒獎：『跟從我起兵於濠上，先存擇日之心，來茲定鼎於江南，逆作擎天之柱。』

明太祖爲了籠絡徐達，人前背後總是誇口：『我與徐達是布衣兄弟。』明太祖那裏是眞正與人稱兄道弟的人呢？他當了皇帝以後，處處擺足架子，唯恐功臣看他不起，徐達了解明太祖的心理。因此，明太祖愈熱絡，他表現得愈爲恭順。

明太祖曾經再三慷慨表示：『徐兄功勞大，到現在沒有一棟像樣的屋子，可以住到舊邸去。』舊邸是明太祖爲吳王時住的宅院，花木扶疏，雖然不是十分富麗堂皇，畢竟是明太祖住過的，頗具紀念意義。然而，正因爲舊邸的歷史價值，徐達說什麼也不肯搬進去。其實，這正是明太祖的一種試探，徐達若是眞的遷入舊邸，那可就要倒大楣了。

有一回，明太祖邀徐達赴舊邸喝酒，明太祖任何方面都喜歡勝過別人，連喝酒也不例外，仗著自己酒量好，在譁笑聲中，灌了徐達一杯又一杯。

『來來來，乾了吧，我們開懷暢飲，事大如天醉亦休。』

『我實在不行了。』徐達扶著額頭討饒。

『我都乾了，你還推辭嗎？』

徐達無奈，仰起脖子一飲而盡，醉眼迷離。

明太祖派人把徐達扶到床上，徐達頭剛碰到枕頭，就開始打鼾。這一覺睡得非常酣暢香甜。

第二天清晨，徐達揉揉雙眼，伸個懶腰，忽然發現自己睡在舊邸的床上，而這張床正是明太祖當年使用的。這一嚇，連翻帶滾掉下來，踉踉蹌蹌下了地，大聲驚呼：『完了，完了，這是死罪，我什麼時候上了龍床？』

在一旁偷看的明太祖，對徐達的反應十分滿意，徐達又通過一關考驗了。

胡惟庸很想結好徐達，想盡辦法奉承徐達，徐達不齒胡惟庸，懶得多加理會，胡惟庸氣得跌足興歎：『也罷，你敬酒不吃吃罰酒。』

胡惟庸收買了徐達的門房福壽，要他藉機暗殺徐達。福壽表面上答應了，事實上卻飛奔稟報徐達。徐達先是一愣，旋即恢復了平靜的臉色，並且告誡福壽：『切勿對外言此事。』

徐達也沒有對明太祖稟明此事，他只是再三提醒明太祖：『千萬小心胡惟庸。』

雖然劉伯溫、徐達警告在前，可是，基於人性的弱點，胡惟庸的高帽子一戴，明太祖還是情不自禁地喜歡他，種下了禍根。

閱讀心得

【第687篇】陸仲亨忐忑不安。

劉伯溫與徐達曾經先後勸過明太祖，務必小心胡惟庸。

明太祖總是胸有成竹道：『我會用他的長處。』在明太祖看來，能幹又曲謹的胡惟庸，眞是比誰都好，他不像李善長那麼老邁，劉基那麼固執，宋濂那麼迂腐，楊憲那麼度量小，汪廣洋那麼貪杯，他總是體貼小心，話講出口永遠聽了讓人窩心。

胡惟庸的短處，則是明太祖看不見的。

從洪武十年九月到十三年正月裏，胡惟庸當了整整兩年四個月的左丞相，大權在握。尤其劉伯溫又在洪武八年被他害死，他更肆無忌憚。對於各個衙門送上來的奏章，胡惟庸不但先看，而且往往自作主張，當然，若是奏章中有對他不利的，明太祖也就永遠看不到了。

由於胡惟庸一手遮天，不但人人搶著巴結胡惟庸，他相府裏上上下下幾百人，也都是人們賄賂的對象。胡惟庸生性貪婪，他所擁有的『金帛、名馬、玩好』堆積如山，相府再大，也快裝不下去了。

雖然胡惟庸炙手可熱，他心裏頭還是深懷恐懼。每次上朝回來，即使是冬天，也都嚇出一身冷汗，要趕緊打水抹身子。因爲沒有人比胡惟庸更清楚，明太祖頂頂痛恨貪污，胡惟庸不只一次夢到，他被綁去剝皮的慘狀。

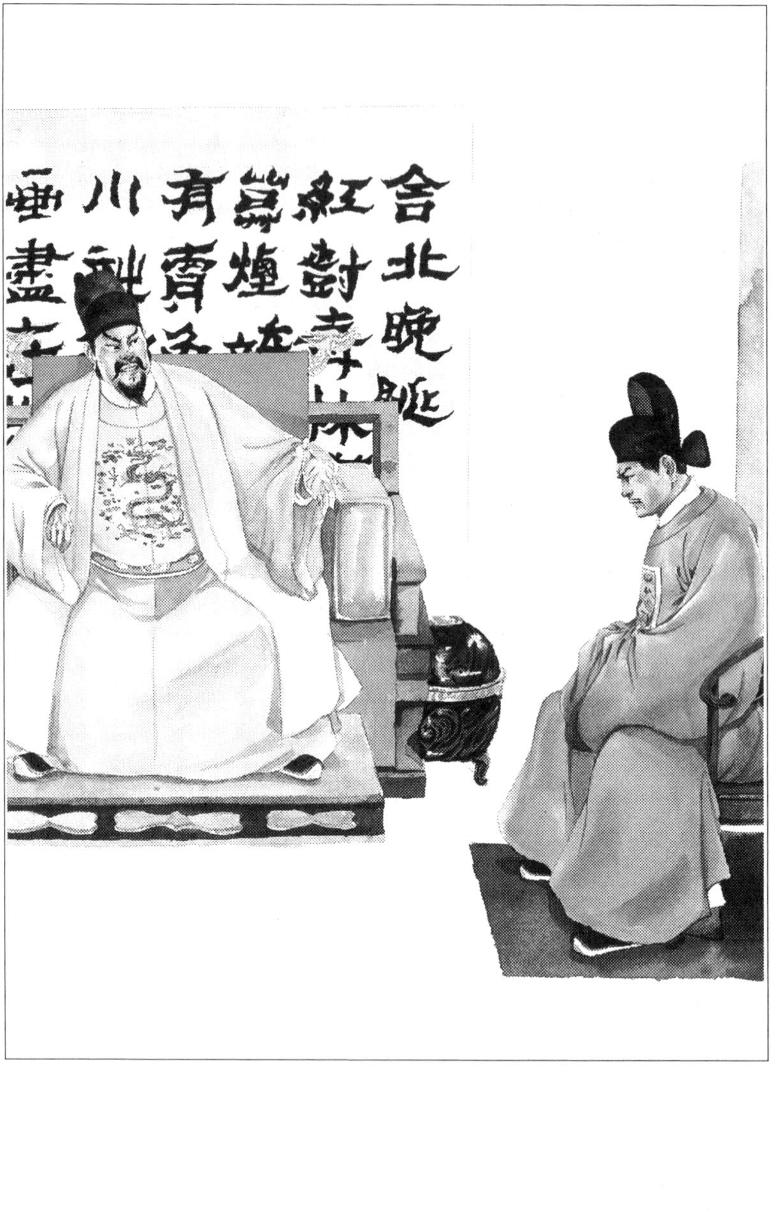

午夜夢醒，胡惟庸躺在床上，輾轉反側，而起了謀反之心。

正在此時，胡惟庸在安徽老家有一批小人爲了討好胡惟庸，僞造靈異祥瑞，然後登府拜訪，胡惟庸親自接見。

這定遠老鄉故作神祕道：『此事不方便開口。』

胡惟庸努努嘴，身邊的人都下去了，他揮手道：『好了，有什麼話，你快說吧！』

老鄉先磕了一個頭，低聲說道：『丞相定遠老家井中，長出來一支石筍，出水數尺之高，更奇妙的是，三代祖墳，入夜火光燭天，凡此都是大發之兆。大家都說，我們安徽人要有好消息了。』

胡惟庸位極人臣，再大發當然是做皇帝了。胡惟庸喜不可言，表面上故意喝斥：『你不要亂說。』

『小的不是亂說，馬上旁人也會有消息傳來。』

胡惟庸打發鄉人下去領賞，不一會兒，果然陸陸續續有定遠人前來通報，也都領了賞金。

胡惟庸欣然色喜，忍俊不禁，他驀地一拍額頭：『妙，莫不是命中注定。』

既然是命中注定，他可不能白白辜負了這條好命。要造反，當然要有人手，胡惟庸老謀深算，開始佈置大局。

胡惟庸頭一個相中的人是吉安侯陸仲亨。

陸仲亨是明太祖濠州的小同鄉。他十七歲之時，被亂兵劫持，手裏捧著一升麥，躲在稻草堆裏，明太祖見他可憐兮兮的模樣，招手呼喚：『你，過來。』

陸仲亨怯生生地過來，低著頭。

『家裏還有什麼人？』

『都不在了，父母兄弟全都死光了。』陸仲亨的頭垂得更低了。

明太祖端詳了陸仲亨好一會兒，方才開口：『肌肉倒挺結實的，不如跟了我吧！』

就這樣，陸仲亨跟著明太祖，東征西討。他打仗的本事很好，屢次建立了大功，在洪武三年，封吉安侯。

封侯不久，陸仲亨就犯了錯，他騎了公家驛站的馬，被罰往雁門捕寇，又做了一些偷雞摸狗的勾當，都記在胡惟庸的帳中。

另有一平涼侯費聚，也是明太祖濠州起兵的老部下，同樣是個會使槍弄棍卻沒有腦筋的粗人。

費聚在洪武三年，被封爲平涼侯，他因爲沉溺酒色，無所事事，被罰前往西北邊境，招降蒙古人，但不曾招降多少，回來，又被申誡訓斥。

胡惟庸手中握有陸仲亨與費聚的把柄不少，不怕他們不就範。

於是，某天夜晚，他把這二人請入府中，好酒好菜，並有美女一旁伺候。

酒過三巡，胡惟庸把左右支開，壓低了嗓門道：『你們幹的違法的事不少，萬一被皇上發現了怎麼辦？』說著，瞟了一眼窗外。

這一句話把陸費二人的魂都嚇飛了，明太祖的手段殘酷，是大家都清楚的，胡惟庸的陰狠，也是人們心裏有數的，胡惟庸突然這一問，當然其中大有蹊蹺。他二人不約而同，抬起眼，怕怕地望著胡惟庸，眼中充滿了懼怕不安。

『別慌。』胡惟庸遞上熱茶，又換上一副和藹可親的模樣：『只要你們設法多找些快馬，包你沒事。』

宰相要快馬做什麼？而且要馬爲何不循正當管道？陸仲亨、費聚二人同時打了一個寒戰，可是，現在有把柄在胡惟庸手上，要不答應也不成。尤其既然知道了胡惟庸的祕密，也就容不得他二人不答應了。

自此而後，陸仲亨寢不安枕、食不知味，走到那兒，都是一個苦瓜臉，連明太祖都發現了，曾經問他：『奇怪，你居高位，何以面有憂色？』

陸仲亨只好說謊：『最近身體不好，多謝陛下關心。』

其實，陸仲亨是有苦說不出啊。

閱讀心得

【第688篇】

明太祖怒責胡惟庸。

胡惟庸既然決定造反，開始積極謀畫，可是人算不如天算，在這段緊鑼密鼓期間，胡惟庸再三出事。

先是，胡惟庸的兒子，仗著老子的威勢，在鬧市中快馬奔馳，一個不小心翻身墜馬，恰好一輛大車轆轆而過，閃避不及，就做了車下鬼。胡惟庸一怒之下，斬了馬車夫。

明太祖認爲，胡惟庸雖然貴爲宰相，豈能不經審判而殺人，他咬牙切齒地指著胡惟庸：『你該爲馬車夫償命！』

這還了得？嚇得胡惟庸不斷磕頭：『臣願意以厚重金帛賠償馬車夫一家。』

『不可以，你非償命不可。』明太祖說著，氣沖沖地撈起龍袍下襬，轉身離去。

結果，胡惟庸當然沒有眞的爲馬車夫償命。但是，君臣二人的關係弄得很僵。

接著，一波未平，一波又起。

占城國（今天越南南部）有貢使前來，胡惟庸沒有報告明太祖，不知怎麼明太祖竟然知道，他勃然變色，怒聲斥責胡惟庸。

胡惟庸大駭，汗流浹背，眼冒金星，連忙推託：『這是禮部誤事。』由於膽怯，胡惟庸的聲音都變調了，結結巴巴地說不清楚。

『是這樣的嗎？』明太祖如電般的目光，緊緊地盯著胡惟庸。明太祖立刻把禮部負責的人關了起來，並且下令，非要查個水落石出，看是誰有這麼大的膽子，竟然敢瞞著他。急得胡惟庸不斷地頓腳嘆氣：『壞了！壞了！』

壞了的事，還在後頭呢。

御史中丞涂節突然上報明太祖：『陛下可知劉伯溫究竟是如何死的？』

『不是病死的嗎？』

『不然。陛下可曾記得，曾經派胡惟庸前去探望，胡惟庸還介紹了一個名醫？』

『有這麼一回事。』

涂節清一清喉嚨道：『劉伯溫服了名醫的藥，立刻腹中如拳石，不久便死了。』

『噢？』明太祖大為詫異。

『眞的，這件事汪廣洋也曉得。』

明太祖一聽此話，更加光火，隨即派人把汪廣洋找了來。

明太祖怒氣沖天責問汪廣洋：『劉基是不是被胡惟庸毒死的？』

汪廣洋聽得悚然心驚，彷彿被人當胸搗了一拳似的：『沒有，沒有的事！』

『哼，你們存心蒙蔽我！』

第二天，明太祖就一紙命令，把汪廣洋貶到廣南。明太祖餘恨未消，他想起汪廣洋在江西庇護朱文正，又想起他在中書省不肯舉發楊憲的罪。

『哼，這個老傢伙只曉得喝酒，專誤我的大事，死有餘辜。』

因此，汪廣洋的船到了太平，忽然接到明太祖的敕令，當場立斬。

汪廣洋死了也就罷了，竟然又扯出一樁是非來。

汪廣洋死了，他平日最寵愛的妾陳氏，也跟著哭哭啼啼從死。明太祖好奇地問左右：『這個陳氏是怎樣的女子，難得有如此的堅貞。』

一打聽之下，原來是因罪被革職的陳知縣的千金。

明太祖又冒火了，他橫眉豎眼地發脾氣：『我記得曾經有過規定，沒官婦女，只能賜給功臣，文臣憑什麼得給？』（所謂『沒官』，就是沒收入官之意，『沒官婦女』就是歸屬官府的女奴婢。）

這一查之下，當然又是胡惟庸爲了拉攏汪廣洋，私自把陳知縣如花似玉的閨女兒，送給了汪廣洋。

明太祖到了這步田地，對胡惟庸的印象簡直惡劣到達極點。至於說，涂節怎會曉得劉伯溫是被胡惟庸毒死的，可能是胡惟庸不小心說漏了嘴，把涂節當成自己人。

涂節會加入胡惟庸集團，其中還有一個關鍵人物陳寧，也值得一提。陳寧是湖南茶陵人，元朝末年，在鎮江路當個餬口的小官，有一日，代替軍師捉刀，寫了一篇文章，明太祖看了，頗爲稱道：『詞意雄偉，想必是出自高人之手。』於是，求才若渴的明太祖把陳寧找來掌理文書。

陳寧也很有志氣，曾經被俘虜，寧死不屈。後來被敵人送回來，明太祖嘉許他的忠貞，升爲廣德知府，恰好遇上荒年，陳寧上奏太祖：『人民飢餓若此，如果還要強行徵租，等於是毆打人民。』

這麼一個原本體恤百姓的好官，在明朝建立、官運亨通之後，卻又變了一個樣。

陳寧做了蘇州的地方官，他在蘇州徵稅徵得是又急又兇，他喜歡把鐵燒得通紅，用來烙炙嫌疑犯，就像烤乳豬似的，地方百姓不勝其苦，送給他一個外號——陳烙鐵。

胡惟庸生性嚴刻，十分欣賞陳烙鐵，將他由蘇州知府一躍而升爲御史中丞，再升爲御史大夫。陳烙鐵受到鼓勵，益發殘忍了。

陳寧的兒子陳孟麟委實看不過去了，不祇一次跪著哀求父親高抬貴手。

陳寧氣急敗壞：『老子的事，你有資格管嗎？』

『當然沒有，孩兒只是不忍父親被冠以陳烙鐵的外號。』

『好！』陳寧在齒間迸出一聲冷笑：『今天就讓你也嘗嘗陳烙鐵的滋味。』

於是，陳寧一陣拳打腳踢，掄起拳頭一連打了幾百下，陳寧的氣是出了，他兒子的命也丟了。

明太祖接到報告，十分寒心：『一個人能對兒子如此無情，對君上又會有什麼感情？』

陳寧聽說了明太祖的批評，心裏一直打鼓，也入了胡惟庸一夥。

閱讀心得

【第689篇】林賢偷運日本軍火。

胡惟庸一心造反，他內則結納權貴，外則廣收羽翼。但是明太祖控制嚴密，想要謀反還眞不容易，腦筋一轉再轉，他決心利用日本幫忙起事。當然，胡惟庸想與日本勾搭，必須要有一個牽線人，這個人選，他老早就想好了，就是得力的心腹——明州衛指揮林賢。

他把林賢叫到家裏，斥退左右。然後，將頭湊了過去，用手遮住一半嘴，低聲地說：『我先隨便安一個罪名，把你流放到化外，等你一切辦妥，捎個信來，我再上奏皇上，就說林賢被誣，事已大白，請召還復職。』

林賢站了起來，諂媚地長揖到底：『多謝栽培。』

『我相信你會做得很好！』胡惟庸親狎地指著林賢的肩膀。立刻又收起笑容，臉色變得非常沉重：『當然，我心事都透露給你了，你不做也不行。』

就這樣，胡惟庸以林賢『誤把貢船當作寇船』爲名，把林賢流放到了日本，讓林賢得以從從容容與日本發生關係。

日本這個國家，到底是打那兒來的？何時開始建國？一直到今天，各派史家有不同的說法，誰也不能提出令大家信服的說法。

根據後漢書東夷傳，以及三國志孫權傳的說法，在秦始皇二十八年，

有一個叫徐福（一說爲徐市）的方士，上書皇帝：『海中有三神山，名曰蓬萊、方丈、瀛州，有仙人聚之。』

秦始皇富有天下，唯一的憂慮就是人生百年不免一死。於是，十分高興的派了童男童女三千人，帶著五穀雜糧與種種百工由徐福率領出海，求蓬萊神仙。

徐福耗費了大筆錢財，並沒求到長生不老的仙丹，他知道若是回來，一定會被殺頭，於是留在當地，便是日本國的由來。

歐陽修曾寫過一篇『日本刀歌』——『其先徐氏詐斯民，採藥淹留草童老，百工五穀爲之居，至今器玩皆精巧。』日本刀是宋朝人歡喜的玩物，不但鋒利，刀鞘尤其美觀，和日本扇子一般，同樣是日本輸送宋朝商品中，最受歡迎的工藝品。

從歐陽修的詩中，可以看出，宋朝人斷定，日本是徐福建國，而且徐福帶去的工匠，代代相傳，才能打造如此鋒利的日本刀。

清朝末年，黃公度根據日本傳國寶劍、鏡、璽三樣都是秦朝東西，並且根據地理因素、日本神話、中國古籍，斷定徐福就是日本開國的神武天皇。

另外有一種說法，認爲日本天皇是吳太伯，或是夏后少康後裔。這是根據晉書東夷傳所載：『倭人在魏時有三十國通好，自謂太伯之後。又說，以前，夏朝少康之子封於會稽，斷髮文身，以避蛟龍，所以，今天倭人也文身斷髮，沈入海底捕魚。』

這二種說法，在日本人讀了中國書之後，受到中國夷夏觀念的影響，深以『倭人』爲恥，自視爲大和民族的天神子孫，不肯承認是中國人的後代。不過，日本人並不否認徐福到了日本，甚且還津津樂道，一直到今天，日本的熊野（和歌縣）還有徐福祠與徐福墓都是觀光勝地。

自唐宋以來，日本跟中國的關係，一向不錯，元朝時兩次入侵日本，不意海面突起大風，元兵葬身魚腹。如果兩軍正式開戰，小小的日本豈是蒙古人的對手，因此，日本人稱這陣颱風爲『神風』，自認爲有神明在暗中庇佑。

到明太祖起兵之時，日本正式分裂爲南北朝，明太祖即位以後，曾經派遣使者到日本，要日本前來朝貢，否則要出兵攻打日本。

日本的懷良親王的回書很不客氣：『蓋天下者，乃天下之天下，非一人之天下也，臣是遠弱之倭，偏小之國，城池不滿六十，封疆不足三千，尚有知足之心，陛下作中華之主，萬乘之君，城池數千，封疆百萬里，猶有不足之心，常對小國有滅絕之意，臣順之未必生、逆之未必死。』意思是絕不屈服，你明朝若是非打不可，不妨放馬過來。還不一定誰輸誰贏。

明太祖看了回書好生氣，但是鑒於元朝征日失敗，如今國基未穩，只好暫時吞下這口氣，不敢發兵遠征。不過，明太祖嚴格下令，禁止貿易，實施海禁，規定：『片板不許入海。』（古代船隻是木造的，片板就是指任何一條小船的意思。）

但是，中國海岸線長，想要『一片木板都不入海』談何容易，福建地方由於地處僻遠，便成爲走私的大本營，尤其閩南地區農業生產條件不佳，當地人甚且『剖腹藏珠，愛財不愛命。』與日本人貿易。

日本足利義滿將軍領導的室町幕府，其實也想與明太祖重修舊好，大大方方、正正式式做生意，胡惟庸就逮住這一點，親自寫了一封信，讓林賢帶給足利義滿，請他借兵相助，事成之後，准許中日貿易。

胡惟庸一連出了幾件事，惹怒了明太祖，他認爲事不宜遲，決定起事造反，派遣信使，通知了在日本的林賢。

於是足利義滿選擇了一個名叫如瑤的和尚，帶了四百個日本人，假裝是入貢，由林賢陪著，到達中國的寧波。

如瑤和尚的行囊之中，有好些特大號的紅蠟燭，表面上是出家人的貢品，其實內藏火藥刀劍，這個日本和尚，還眞是六根不清淨。

等到一千人馬浩浩蕩蕩準備下船，才聽說涂節見風聲日緊，向明太祖告密指證胡惟庸有意造反，胡惟庸已被捉拿，這艘名爲進貢船，實爲軍火船，由於沒有日皇的表文，只有足利義滿以『征夷大將軍』身分寫給胡惟庸的一封信。明太祖認爲『不合禮節，拒不受貢，原船遣返。』

於是，這艘滿載大蠟燭的日本船，又原封不動回到了日本，胡惟庸勾結外人的陰謀，竟然沒揭穿。

這足利義滿後來統一日本南北朝的分裂局面，創出室町幕府的全盛期，是日本響叮噹的歷史人物，膾炙人口的『金閣寺』就在他晚年將其築在衣笠山之麓的別墅改建成佛寺剃髮修行，全寺計有殿舍十三，因其勾欄、柱、壁都貼敷金箔，金碧輝煌，故名之爲金閣寺，位於今日京都市北區金閣寺町，是著名的觀光勝地，日本作家三島由紀夫還特別寫了一本以『金閣寺』爲名的小說。

閱讀心得

【第690篇】

李善長怦然心動。

胡惟庸想要造反，可是，時運不濟，接二連三的猛出紕漏，看在一旁的同黨涂節心裏暗暗叫苦。

掙扎了一段時間，涂節終於決定把實情一五一十稟報明太祖，希望能夠將功抵罪，免其一死。

明太祖勃然大怒，下令廷臣公審，胡惟庸供出了陳寧，也牽連了涂節，而且爲了報復，特別加重了涂節的部分。

依理，涂節自首，又供出了主謀，多少應該減刑。但是朝廷大臣們認爲，涂節本是胡惟庸的心腹，見事不成，方始反判，不可不誅，陳寧也一併正法。至於胡惟庸，當然是死路一條。

胡惟庸案甚且牽連老臣宋濂的孫子宋慎被誅，宋濂虧得馬皇后搭救，明太祖才饒過了他。不過，宋濂畢竟年歲已大，受不住驚嚇，一命嗚呼。

胡惟庸謀反，明太祖當然很生氣。他想起當初劉伯溫、徐達都曾經先後警告過，胡惟庸不可靠，只怪自己自信太過，幸好及時發現，沒有釀成巨禍。

明太祖眞正爲胡惟庸一案發火，是在事隔五年之後，洪武十八年（西元一三八五年），有一個名叫毛驤糖的人向明太祖告密，李存義與胡惟庸亦

有瓜葛。

李存義本人無足輕重，他的哥哥李善長可非等閒之輩，李善長名列開國元勳文臣第一人。洪武三年，明太祖大封功臣，其中封公者僅有六個人，李善長居首，封為韓國公，在制敕之中，比擬為漢朝的蕭何，明太祖對李善長的信任，頗似宋朝趙匡胤對趙普。事實上，明太祖當初之所以有逐鹿天子寶座的野心，也多虧了李善長的開導。

李善長與明太祖關係匪淺，他同時又是太祖的兒女親家，太祖長女臨安公主，嫁給李善長的獨生兒子李祺，夫妻恩愛，臨安公主頗有乃母馬皇后仁德之風，極有賢慧的美名。

李存義是李善長的弟弟，他兒子李佑是胡惟庸的姪女婿，都是定遠小同鄉，又是姻親，李存義遂成爲胡惟庸的心腹。

明太祖認爲，胡惟庸的親家，幫襯胡惟庸，我的親家當然幫我，何況，李善長是開國功臣，獨生子又是駙馬爺，誰都可以不信任，李家應該沒問題，特別網開一面，免了李存義之死，把他安置在江蘇崇明島。

明太祖放了李存義一馬，李善長竟然不趕緊到宮中謝恩，明太祖心中老大不開心。

又過了五年，洪武二十三年，李善長有個親戚，名叫丁斌，因罪充軍，流放到邊疆，李善長前來求情，太祖不肯。

隔不了兩天，李善長又來了，太祖認爲事有蹊蹺，小小丁斌，何以李善長如此掛慮，於是把丁斌帶到錦衣衛前去拷打。

丁斌受不住刑獄，和盤托出，原來，他在胡惟庸家中管事，有時爲李存義與胡惟庸傳話，頗有不足爲外人道之事，明太祖連夜把李存義自崇明島押回，又逮捕了李存義的兒子、胡惟庸的姪女婿李佑，再三審訊得到驚人的結果，原來連李善長亦牽涉其中。根據丁斌的供詞是這樣的：

最初，李存義受了胡惟庸的話，前去勸李善長謀反，李善長勃然變色，大吃一驚，聲色俱厲地叱責：『你瘋了嗎？你曉得自己在說些什麼話？想滅九族不成？』

胡惟庸碰了一個結結棍棍的大釘子，不過他並不氣餒，又找了李善長的老友楊文裕前去當說客。

楊文裕一臉諂媚，壓低了聲音：『事成之後，將割淮西之地，封閣下爲王。』

李善長不自覺竟嘴角一扯，露出滿意的微笑。繼而乾咳一聲，皺緊眉頭，轉爲嚴厲的態度，把楊文裕轟了出去：『虧你我還是好朋友，就差沒有義結金蘭，竟然說出這種話，你到底是什麼意思？』

楊文裕被趕了出來，想起李善長那一閃而逝貪婪的笑容，立刻飛報胡惟庸：『臣被趕出來了。』

『那你怎麼一臉得意？』胡惟庸詫異地詢問。

楊文裕一五一十把經過稟明，很興奮地說：『依我看，淮西之地頗合李善長之意，當然，他表面上絕不肯承認，即使我們親如兄弟，他多少總要防一防，這可是誅九族的罪。』

胡惟庸笑一笑：『我看，是我親自造訪的時候了。』

胡惟庸造訪，他與李善長促膝密談，是在李府一間小密室之中，談了什麼，不得而知。但是，李善長既然知道了胡惟庸的陰謀，雙方還相談如此起勁，其中自然大有文章。

這第三回遊說，雖然談了大半天，胡惟庸又被留下來吃晚飯。但是，李善長顯然還是沒有答應。

又過了幾天，胡惟庸再派李存義前往當說客，從早上說到晚上，直講得舌敝唇焦，李善長只是專注地聽，不發一言，卻也沒有阻止他往下說。

最後，李存義哀求道：『你到底肯是不肯？』

李善長啜了一口茶，頭往上仰，長吁一口氣道：『我今年七十七，活不了多久啦，等我死後，隨你們怎麼去搞吧。』

閱讀心得

【第691篇】胡黨之獄。

上一回我們說到，胡惟庸勸李善長入夥，共同造反，李善長被纏得不耐煩，終於答應：『等我死了，隨你們怎麼去搞吧！』

單單李善長知情不報，又默許李家子弟在他身後可以造反，已經足以置李善長於死地。偏偏李善長還不祇是縱容，且有包庇作亂的眞憑實據！

兩年以前（洪武二十一年），開平王常遇春的妻弟，涼國公藍玉，奉命出塞，在捕魚兒海這個地方，逮捕了封績。

封績是元朝的舊臣，胡惟庸與日本勾結的同時，曾經派遣封績，帶著向『北元』皇帝稱臣的表到達和林，請求北元大帝南伐，讓明太祖的大軍派去彈壓，胡惟庸乘機在京師下手。這個胡惟庸，爲了想當皇帝，眞是什麼卑鄙手段都使得出來。

洪武二年，明太祖攻陷應昌，元順帝已在應昌攻陷前一個月病逝，明軍俘虜順帝的孫子、嬪妃一共五萬人，元順帝的兒子溜得快，逃到和林，繼任爲帝，是爲元昭宗，佔有今天外蒙一帶，保持著一個殘局，稱爲『北元』、『殘元』或是『後元』。

由於漠北地方遼闊，明太祖即位之初，無力遠征，只有儘量安撫。

洪武十一年，元昭宗去世，太子脫古思帖木兒即位。脫古思帖木兒很

嚮往祖先霸業，屢次侵犯明朝邊境，被明朝大將徐達、湯和等擊退，很傷明太祖的腦筋。

胡惟庸看上了脫古思帖木兒的野心，所以派遣封績，帶著一封肉麻兮兮的書信前往和林。脫古思帖木兒雖然頗爲心動，到底兵力不足，因此沒有回信。以後，胡惟庸案發，此事就不了了之了。

不想明太祖在洪武二十一年平定遼東以後，決定大舉伐北元，免得北元坐大，將來成爲成吉思汗第二。藍玉與元兵大戰，脫古思帖木兒逃走，藍玉俘虜了元主次子，以及公主貴族，一共七萬七千人，高奏凱歌回京師，史稱爲『捕魚兒海之捷』，封績也在這次戰役之中落網，被捕下獄。

藍玉搜出了胡惟庸與北元勾結的證據，報告了李善長，李善長正在慶幸，當初沒有馬上答應胡惟庸造反，同時，他的親弟弟李存義還因爲此案，被明太祖流放到崇明島，他心忖，多一事不如少一事，沒把封績的事，上報明太祖。

這一回，由於丁斌舉發李善長，有位御史查出兩年前的資料，提出糾舉，彈劾李善長知情不報，顯然是『欺君之罪』，這個罪名，眞是非同小可。

李善長這個人，自外表看來，是個寬和的好好先生，其實呢？他的妒忌心極強，可以說是相當刻薄。

曾經有參議李飲冰、楊希聖稍微侵犯了李善長的職權，他當面還是嘻嘻哈哈，背地裏，立刻奏上一本，把李、楊二人罷黜。

李善長不准別人侵犯他的權，他卻要侵犯劉伯溫的職權，中書省都事李彬貪污，依法論斬，他偏要關說，劉伯溫不答應，李善長立刻就咆哮起來：『我與李彬是總角之交。』（所謂總角之交，古時小兒未成年時，總束頭髮，形如兩角，比喻童年玩伴。）

劉伯溫不答應，李善長氣得不與他說話，劉伯溫倒是度大量大，還是向太祖推舉李善長爲相，稱許他有調和諸將的長才。

由於李善長刻薄寡恩，因此，他的家奴盧仲謙也落井下石，告發朝廷，李善長確實與胡惟庸有異謀。

老實說，這等機密大事，家奴未必會曉得，不過是藉機會報仇罷了。

明太祖自問對李善長不薄，爲了這件案子，他眞是傷心極了，也寒心到達極點，人心眞是可怕。於是他決意除惡務盡，大開殺戒。

頭一個當然李善長家中七十餘口，統統殺光。在洪武三年大封功臣之時，明太祖曾說：『善長雖無汗馬功勞，然而侍奉朕的時間久，補給軍食，功勞甚大。』因此，不但封韓國公，子孫得以世襲，並且賜給鐵券，准他免死二次，他的兒子免死一次。

所謂『鐵券』是古代帝王頒賜功臣，作爲記功免罪依據的製裂符卷，形狀像一片瓦，外面刻著功臣的履歷功勳，內鐫免罪減祿次數，字都是用金嵌入，分爲左右兩片，左片頒給功臣，右片藏之內府。等到功臣出了事，再取出來相合。

李善長到了這步田地，明太祖早已氣得牙齒咯咯作響，鐵券是明太祖賜的，他當然也可以收回。在專制時代，一切權力來自帝王，只要帝王願意，他可以做任何他想要做的事，更何況明太祖是把皇帝權威擴展到極致的人。

後來，林賢偷運日本軍火等事，陸陸續續被發現，於是，陸仲亨、費聚、封績等皆死，一時坐誅者三萬餘人，包括功臣封侯者二十餘人，並且昭佈奸黨錄於天下，成為明朝初年第一大獄。

到了第二年，虞部郎中王國用上書：『善長與陛下同心協力，出萬死以取天下，列為第一勳臣，生封侯，死封王，兒子娶了公主，親戚一個個拜官，已經享有為人臣子最高的光榮。

『假如說，他自己想當皇帝，還有可能造反，若說是想幫胡惟庸奪取帝位，則大謬不然，就算胡惟庸真的當了皇帝，他也不過是第一勳臣，和現在一樣，他何必冒這個險？再說，李善長是打天下出身，他豈會不知取天下談何容易！因此，李善長不可能謀反，如今，善長已死，多說無益，只希望作爲陛下以後的參考。』

看了王國用的上書，許多人都說：『這小子的腦袋不想要了。』可是，說也奇怪，明太祖竟然沒有怪罪，或許，明太祖靜下來也會發現，其實李善長的案子，證據相當薄弱。

閱讀心得

【第692篇】太子朱標仁厚軟弱。

胡惟庸謀反案在洪武十三年爆發，同時被誅者，不過涂節、陳寧等數人。至於胡黨之獄，則在洪武二十三年大規模地展開。天下豈有逆首已死，同謀者經過十餘年方才事跡敗露的？其間有個重要因素，就是明太祖心理的曲折。

洪武十三年，馬皇后尚在人間，叛黨得以從輕發落，洪武十五年，馬皇后的去世，對明太祖而言，眞是不堪忍受的打擊。

明太祖自幼家境一貧如洗，父親過世之時，連買一口棺材的錢都沒有著落。其後，捨身皇覺寺，當個小和尚，顛沛流離，嘗盡了人世間的辛酸。直到與馬皇后結爲夫婦，明太祖才第一次享受到被疼愛被照顧的滋味。馬皇后爲了解明太祖的饞，潛入廚房偷葱油餅，被人發現，情急之下把餅往懷中一揣，胸口潰爛，這一塊大疤，代表了馬皇后對明太祖情深似海。

馬皇后粗手大脚，實在談不上美麗，卻是明太祖最爲信賴的紅粉知己。明太祖在當了皇帝以後，宮中美女無數，卻沒有一個能抵得上馬皇后在他心中的地位，也只有馬皇后會像姐姐一般寵著他，體貼著他。

明太祖生性猜疑，不相信任何人，馬皇后死了以後，他回到後宮，一

個人冷冷清清，滿懷寂寞，宮中三千粉黛，他是誰也不敢相信。

當明太祖發現陸仲亨也參與胡惟庸的陰謀，氣得頭發昏胃發脹，他躺在床上，腦海裏浮現的是，當初陸仲亨可憐兮兮的模樣，家裏的父母兄弟都死光了，手裏拿著一塊破手帕，窖裏僅剩下一升發霉腐爛的臭麥子。明太祖霍地自床上躍起：『若不是我收留了那個臭小子，他還不早就餓死了，竟然幫著胡惟庸背叛我，難怪一天到晚愁眉苦臉，原來是做了虧心事。』

若是馬皇后還健在，她一定會婉言相勸：『陸仲亨是被家奴告發，家奴的話，豈可盡信？胡惟庸的事過去就算啦！』

馬皇后走了，明太祖身邊缺一個可以談心傾訴的對象，已經夠懊惱的。

偏偏他還有一層更深的憂慮，那就是太子朱標。

朱標倒不是不乖，而是太乖了，忠厚老實，心地善良，完全和他媽媽馬皇后一個模樣。可是這樣的性格，如何能夠掌管天下？

朱標又自老師宋濂那兒學來了拘謹、誠懇與寬大，明太祖一向是嚴苛慣了，見朱標一副老實模樣，忍不住再三歎氣：『眞是一代不如一代！』

除此之外，明太祖另有一個不易啓齒的隱憂，他垂垂老矣。明太祖起兵雖早，到了天下大定，已經是六十好幾了，不像漢光武帝、唐太宗，坐上皇帝寶座之時，身強力壯，英姿煥發，功臣都比他們年紀大；也不像宋太祖，雖然年齡也不小了，卻有能幹的弟弟可以依恃；他是一無所有。

明太祖冷眼旁觀身邊的功臣，一個一個都是豺狼虎豹，心狠手辣。太子朱標卻又是溫柔仁慈，個性軟弱，相形之下，彷彿是大野狼對付小綿羊。明太祖放不下這一顆心，因此，他積極剷除功臣，盡力爲太子佈置一個比較安全的環境。

太子朱標的仁厚是出了名的，由於他過於老實，就連他的二弟秦王、三弟晉王都想欺負他。

明太祖一共有二十六個兒子，他即位以後，參酌漢晉六朝之制，恢復封建制度，選擇天下的名城大都，分封其子爲王，作爲中樞的屏藩。藩王沒有土地與政權，卻擁有相當大的權勢。

洪武九年，葉伯巨上書，舉出漢朝七國之亂，晉朝八王之亂，述說分封諸王的弊害。明太祖很生氣，認爲他『這個混小子想挑撥離間我骨肉之間的感情！』把葉伯巨下令賜死。

後來，明太祖自己也醒悟到葉伯巨的話有理。縮小了藩王官屬編制。但是，諸王仍然擁有不少兵權。

洪武二十四年，秦王聽說明太祖考慮遷都西安，而他正是被封在西安，背地裏，嘟嘟嚷嚷頗有抱怨，害怕失去封地。

明太祖知道了，把秦王召回金陵，給關了起來罵道：『看你還敢不敢發牢騷。』

明太祖並且派朱標赴西安考察，調查秦王過失。明太祖的用意是建立朱標的威望，可惜朱標不領情。

朱標到了西安，隨便逛了一圈就回來，跪在地上求明太祖：『弟弟並沒有做出任何對不起父皇的事，請趕快放他回西安。』

『我都是爲了你以後著想，你還幫他求情，眞是沒用！』明太祖左看右看朱標，眞不像自己生的兒子，忍不住摑了他一巴掌。

當然，最後秦王還是回到了西安。

秦王之後，老三晉王也傳有異謀。

老三晉王曾經拜宋濂學文、拜杜環學書，長得是長長的鳳眼，高高的身材，玉樹臨風，顧盼有威，人也聰明，可說是太祖二十六個兒子之中相貌最爲挺拔的一個美男子。

晉王極爲自負，脾氣不佳，洪武十一年赴太原就藩時，曾經在半途嫌膳夫徐興祖燒的菜不可口，用鞭子狠狠打了他一頓。

事後，晉王被明太祖訓了一頓：『膳夫徐興祖，跟了我二十三年，你不可以欺負他！』

明太祖雖然斥責晉王，有時還眞希望太子朱標也能發發威，不要老是怯怯生生，眼中含著兩泡淚。

沒多久，太原盛傳晉王有異謀，明太祖大怒，正準備處罰，又是朱標抱著他的大腿，懇求他饒過三弟。

『你這個沒有用的笨蛋，我這麼做，還不是都爲了你！』本來就醜陋的明太祖，生起氣來更可怕。

老是被斥責『沒有用』的朱標，其實是個最孝順的孩子，他很難過，自己不能如父親的意，但也不能苟同父親的所作所爲。朱標的身子本來就不強壯，在強烈的心理壓力之下，洪武二十五年，朱標生了重病，病得相當嚴重。欲知後事，請待下回分解。

閱讀心得

【第693篇】

藍玉自視不凡。

明太祖太子朱標一連爲二弟秦王、三弟晉王向明太祖苦苦求情，又被明太祖嚴厲斥責：『沒有用！』在內外交迫之下，朱標病倒了。

朱標一向身體不夠硬朗，自從被明太祖狠狠摑了一掌，更加鬱鬱不樂，一切舊有的病徵，例如頭暈目眩，心跳加劇，手腳痲痺，先後前來報到，終於有一天，突然昏厥，來不及宣召御醫急救，便已撒手人寰。

明太祖接到消息，匆匆趕到，撫屍慟哭。太子本性眞摯仁厚，最能夠體諒他人的甘苦，宮裏面上上下下無不頻頻拭淚，嚎啕痛哭。

明太祖自從太子病歿，越發悶悶不樂。必須經常宣召御醫進宮了。

大臣們私下裏，悄悄地互相討論：『天顏似乎一次比一次瘦削，頭髮已經花白了，實在是大可憂之事。』

另有大可憂慮之事在後頭哩，太子朱標死後，明太祖立太子嫡子允炆爲皇太孫，年僅十六歲。

十六歲畢竟年紀太輕，缺乏人生的閱歷。更要命的是，皇太孫的性格與他父親像一個模子裏鑄出來的。

做祖父的明太祖眞是看在眼裏，急在心裏，他不敢想像，有一天他兩脚一伸，那些個開國元勳老狐狸，會怎樣地耍這個小皇帝，沒有辦法，只

帥

好再藉題目，把功臣一個一個除掉。

明太祖有這種心理，臣子們也都人人自危，不曉得那一天大難臨頭，禍從天降。其中擁有重兵的藍玉便準備先下手爲強。

前面我們說過，開國元勳李善長被殺的重要證據之一，是藍玉進兵北元，俘虜了胡惟庸派去與北元勾結的封績，李善長知道這件事，卻沒有立刻報告明太祖，明太祖勃然大怒，李善長死罪難逃。

按理說來，藍玉似乎對清除胡黨有功，可是藍玉卻又被牽連其中。

藍玉有個親戚叫做葉昇，葉昇在洪武二十五年八月因爲七牽八扯捲入胡惟庸案中被殺。藍玉頗有兔死狐悲的哀傷，他對哥哥藍榮說：『前些時日，靖寧侯（葉昇）出了事，我猜他供詞之中可能提到我。最近皇上似乎對我不太信任，眼光之中透著猜疑，只怕早晚容不下我，不如趁早下手，做他一場。』

藍玉和明太祖一樣，也是安徽定遠人，他的姐夫不是別人，正是明太祖身邊大將常遇春。

常遇春見藍玉平日歡喜使刀弄棍，出外打仗時，就把他帶在身邊，藍玉打起仗來相當英勇，所向無敵。

常遇春為了提拔小舅子，在明太祖前總是不忘吹噓：『我那內弟眞是個了不起的戰將。』當然不免加油添醬一番。

藍玉臉紅紅的，個兒高高的，相貌堂堂，的確是個相當帥氣的小伙子，而且也眞的擁有一身功夫。以後，他離開了姐夫常遇春的部隊。洪武四年，跟著傅友德克服錦州；五年跟著徐達敗元兵於土剌拉；十一年同沐英討西番，凱旋而歸，封永昌侯，授予鐵券。

一連串的豐功偉業，讓藍玉益發自信過人，養成凡事都得聽他的習慣，相當地傲氣。

洪武二十年，他跟著大將軍馮勝征討納哈出，大獲全勝，藍玉威風凜凜前往受降。

藍玉躊躇滿志，酒過三巡，大夥都有薄醉，納哈出斟滿了酒，笑着對藍玉說：『請乾了此盃！』

藍玉仰天大笑，爲了表示夠豪氣，他當場脫了外衣，對納哈出說：『請你穿上這衣服我再飲。』

納哈出搖搖頭，不肯穿上，藍玉也變了臉：『那我也不飲。』一副你看著辦的神情，整個場面弄得很僵。

『你穿不穿？』

『不穿！』

『那我也不喝！』藍玉站了起來，扠著腰。

『不喝就算了！』說著，納哈出把酒倒在地上，轉過臉來對著屬下嘰嘰咕咕不曉得在嘀咕什麼，似乎想要開溜。常茂一個箭步向前，對著納哈出一刀砍下去，納哈出鮮血湧出，乖乖投降。

洪武二十一年，明太祖惟恐北元死灰復燃，造成第二個成吉思汗，派藍玉率軍十五萬遠征，大軍深入百眼井，卻不見北元蹤影。

藍玉正準備班師回朝，定遠侯王弼道：『我輩率軍十餘萬，深入漠北，一無所得，遽然班師，何以復命？』

這一句話，挑起了藍玉的雄心壯志，他下令軍士：『以後炊飯穴地而爨，免得敵人見到煙火。』然後，藍玉趁著大風揚沙一片濛濛，趕到了捕魚兒海。

元軍做夢也沒料到明太祖軍隊會橫度沙漠，猝不及防，被打得落花流水。藍玉生擒元朝宗室官吏三千人，男女七萬七千人，馬駝牛羊十五萬匹，班師回朝，樂得明太祖誇他：『比衛青、李靖還要厲害！』

這話誇得藍玉臉上飛金，益發猖狂，養了大批的奴隸、養子，曾有御史前來查問，他把御史給轟了出去。又有一次直扣喜峰關，守關的官吏早已下了城門，不准進入，藍玉狂妄地說：『誰擋得了我藍玉？』竟然把喜峰關給毀了，硬是衝了進去。

喜峰關吏上報朝廷，明太祖非常生氣，把藍玉叫來，結結實實罵了一頓，並且問他：『聽說你看上了元主妃，並且羞辱了她，害得元妃上吊，有沒有這件事？』

藍玉不敢說沒有，明太祖氣虎虎地說：『我要把你的梁國公降爲涼國公，而且把你的過失刻在鐵券上。』

藍玉謝恩退出，心裏可不以爲然，尤其他不滿意明太祖任命他爲太子太傅，他抱怨道：『我就不堪當太師嗎？』牢騷傳到明太祖耳中，太祖怏怏不樂，以後，藍玉奏事，太祖多半不睬。

因此，藍玉決定趁明太祖在洪武二十六年二月十五日出外慰勞農夫時，發動政變，奪取皇位。

結果，消息走漏，藍玉在二月初八上朝之時被捕，初十日被殺，明太祖藉機大殺特殺，一共殺了一萬五千人之多。

閱讀心得

【第694篇】

徐達被迫吃鵝肉。

胡惟庸案加上藍玉案，前後兩獄，合計被殺者高達四萬多人，功臣宿將死亡殆盡，眞是可怕之至。

由於明太祖手段毒辣，因此有人傳言，大將徐達也是被明太祖害死的。徐達老早不止一次婉言勸告明太祖，小心防範胡惟庸，明太祖不理。胡惟庸謀反，證明徐達所言不誣，明太祖似乎應該更加信任徐達，卻又不然。

洪武十七年，星象顯示，太陰犯上將，明太祖認爲這是不吉利的預兆，內心充滿了厭惡。

這時，徐達在北京背上生疽，十分痛苦，折騰了好長一陣子，整個背全是大大小小的癰瘡，翻個身都困難。

明太祖派徐達的兒子徐輝祖到北京慰問，又從各省調派名醫前往醫治，最後，專人把徐達自北京接到了南京（明太祖定都南京）。

明太祖一番好意，徐達也不能夠不領情。這一路上舟車勞頓，到了南京，背上傷口潰爛，災情慘重。

據說，明太祖聽說徐達抵達，頭一件事，就是差人送來一隻蒸好的大肥鵝。

徐達的夫人見到鵝肉，先是雙淚交流，繼而掩面失聲，身邊的僕役也都個個綠了臉。

原來，中醫對於身上有疔瘡者，一律告誡，不許食用香蕉、鴨肉、鵝肉。因爲這些東西，內含某種元素，會使病情復發惡化。

但是，皇帝送來的肥鵝，不吃還不行。徐達也只有和著眼淚，吞下了鵝肉。果然，沒有多久，徐達病勢轉重，終於不治。

徐達死了以後，明太祖爲之輟朝，親自到徐家慰問弔唁，痛哭流涕，追封爲中山王，並且寫了一篇『中山王御製神道碑文』。

明太祖到底有沒有賜徐達鵝肉，這是千古疑案。不過，明太祖的作爲，倒眞是應驗了『飛鳥盡，良弓藏，狡兎死，走狗烹』的老話。

洪武年間，倖免於難的功臣，算來算去，也只有湯和一個。湯和與明太祖是同一個村子裏長大的玩伴，小時候一塊兒嬉戲，光著屁股，偷吃小牛。

湯和比明太祖長三歲，也早一步投奔紅軍，當了郭子興的手下。後來，明太祖成了郭子興的乘龍快婿，行情看漲，湯和也就識時務爲俊傑，乖乖喊明太祖老大。

起兵以後，明太祖的童年夥伴，總以爲他還是當年嘻嘻哈哈的老樣子，忍不住對明太祖仍然勾肩搭背，做出親密哥倆好的舉動。

明太祖是窮和尚出身，最怕人家看他不起，更忌諱當面拉拉扯扯，他愈是擺出神聖不可侵犯的神氣，當年同穿一條褲子的哥兒們愈想捉弄他。

唯有湯和，看出這個小老弟心中的想法，所以永遠規規矩矩，小心聽話，不敢絲毫放肆。

又有一回，湯和守常州，多喝了兩盃，忍不住酒後吐眞言：『我眞是倒楣，在這個鬼地方，就像坐在屋脊，往左邊看，就從左邊掉了下去，往右邊看，就從右邊滾了下去。』

就這麼幾句牢騷，傳到明太祖耳朶裏，明太祖大大不悅。湯和看著心涼，因此不久，他便趕緊要從屋脊上爬下來，還不待明太祖暗示，立刻交出了兵權，湯和對明太祖說：『臣犬馬齒長，不復堪任驅策，想要回到故鄉養老。』

湯和的話，讓明太祖五臟六腑，有說不出的舒服，他立刻派人赴鳳陽老家，為湯和蓋一棟大房子，賞賜也格外優厚。

湯和一向沉默寡言，尤其是關於國家大事，口風特別地緊，他回到老家，把所得到的賞賜都分給家鄉父老，見到舊時同伴，彼此親熱異常，完全不擺架子，過著輕鬆自在，愉快安樂的退休生活。

洪武二十三年，湯和的喉頭生了瘖啞病，漸漸不能出聲，他為了積陰德，把家中一百多個媵妾，統統給放了出來。明太祖召見時，湯和完全無法開口，只能不斷地磕頭再磕頭。

明太祖見湯和如此乖順，又成了一個啞巴，因此在清掃功臣時，特地放了他一馬。

另外一個逃過一劫的人是郭德成，郭寧妃的哥哥。他是個聰明人，冷眼旁觀，知道這年頭的官兒不好做，因此盡量避開，他兩個哥哥都封了侯，只有他還是小小的驍騎散人。

明太祖寵愛郭寧妃，有意提拔這個小舅子，郭德成不敢直接拒絕，他裝瘋賣傻道：『臣性嗜喝酒，庸庸碌碌，人生貴適意，只要多得金錢、多飲美酒，不亦快哉！』

明太祖最怕人覬覦皇位，外戚當然也在嫌犯之列，因此笑嘻嘻道：『你這想法也挺好的。』於是賜給郭德成百罈美酒。

有一天，郭德成陪明太祖在後苑喝酒，郭德成原本貪杯，又故意在太祖面前表演，喝了一盃又一盃，然後，脫下帽子，爬在地上磕頭謝恩，嘴裏講著糊塗話，連舌頭都大了起來。

明太祖忍俊不住，笑罵道：『你看你，醉瘋漢，頭髮禿成這個模樣，可不是喝多了。』

郭德成用力拔著頭髮：『這幾根還嫌多哩，拔光了才痛快！』

明太祖忽地變了臉，認爲郭德成不夠莊重。

第二天，郭德成酒醒之後，唯恐明太祖怪罪，乾脆剃光頭髮，穿了和尚衣服，成天唱佛。

明太祖不疑有他，告訴郭寧妃：『原以爲你哥哥是說笑話，沒有想到眞是瘋了。』

寧妃聽了，心裏總算安了。後來，黨案大起，郭德成拜『瘋子』之賜，倒成了漏網之魚，也算是有先見之明。

閱讀心得

【第695篇】

詹徽落井下石。

由於明太祖猜忌功臣，朝廷之上人人自危，個個提心吊膽，設法自保。但是，天威難測，往往有時弄巧反拙，搬了石頭砸自己的腳，詹徽就是最好的例子。

詹徽是詹同的獨生子。詹同乃安徽婺源著名的才子。明太祖攻下武昌以後，召爲國子博士，他學問淵博，每次提筆爲文，才思泉湧，明太祖經常讚美詹同文章明白顯易，爲人寬厚篤實。

詹徽和他父親一般，頗有文才，洪武十五年舉秀才，做到太子少保兼吏部尚書，頭腦敏捷，勤於治事，很爲明太祖欣賞。

不過，詹徽爲人不及他父親厚道，相當地陰險毒辣。李善長的死，詹徽頗出了點力，在他看來，這是表示忠心的好機會，也可以證明他與胡惟庸一黨完全沒有瓜葛。

明太祖也誇了詹徽，說他是耿耿忠心，不可多得，詹徽樂得臉上飛金。因此，在藍玉案中，他又如法炮製。

藍玉在洪武二十六年二月初八被捕，錦衣衛嚴刑伺候，下獄鞫訊，藍玉原先嘴巴硬，怎麼也不肯承認。

詹徽在一旁，撚著鬍子冷笑道：『我勸你還是趕快招了好，否則皮肉

白白受苦，證據俱在，你賴也賴不掉的。』並且喝斥：『趕快吐實，免得株連無辜。』

問案的獄吏也在一旁道：『是啊，還有誰一塊入夥，你一併招了吧。』

藍玉一向心高氣傲，他瞟著詹徽，怨他的落井下石，恨不得跳起來咬掉詹徽一口肉，心忖，既然死罪難逃，不如多一個墊背的。

他心一橫說道：『招就招了。』說著戟指對著詹徽：『他，就是同黨！』

一聽此話，詹徽臉色發青，勉強抑制怒氣：『你不要血口噴人。』

『不只是詹徽，還有詹徽的兒子詹紱。』

藍玉飛快地又附帶一句。詹徽臉上豆大的汗珠緩緩滑下。

明眼人都看得出來，藍玉是在栽贓，在報復。偏偏明太祖故意看不出來，下令審訊詹徽的兒子詹紱。

詹紱沒有他爸爸的能耐，獄吏的刑具還沒給戴上，他已嚇得尿濕了褲子，自己編了一套犯案經過：『二月初二早上，涼國公（藍玉）教我傳話給父親，本朝文官，那一個有好下場？就是老太師（李善長），我親家公靖寧侯（葉昇）也完了，如今上位（明太祖）病得重了，殿下年紀又小，天下軍馬都是我在掌管，不如大家合起來幹一場！』

詹徽聽罷兒子的供詞，心裏頭空空洞洞，有如槁木死灰，什麼念頭也沒有，只怔怔地望著詹紱，直在後悔，原想爲兒子鋪設一個錦繡前程，怎料到父子同誅的慘劇。

朝廷大臣雖然平日不滿詹徽陰險苛刻，卻個個肚中雪亮，詹家父子是冤枉的，明太祖不是不知情，而是存心殺光功臣。

更有那熟讀歷史的，私下裏悄悄議論：『還記得唐朝尉遲敬德自誇功勞的一段嗎？』

貞觀元年，唐太宗即皇帝位，論功行賞，以房玄齡、杜如晦、尉遲敬德、侯君集爲首，房玄齡排名第一，進封爲邢國公。

尉遲敬德不服氣，『刷』的一下把衣服剝開，更捲起了褲管，露出一截毛毛腿，他鼓起銅鈴般的眼睛，氣咻咻地抗議：『看到沒有？我這裏那裏，全身都是傷痕，都是我爲唐朝建立的汗馬功勞。』

唐太宗心裏十分嫌惡，表面上仍然不動聲色。若是換了明太祖，尉遲敬德有膽子擺出如此態度，腦袋怕不早就搬家了。

唐太宗對忠臣永遠是容忍到底，明太祖卻是去之而後快。難怪明朝大臣翻閱史書不勝唏噓，恨自己生錯了時代。

詹徽害人不成，反而被藍玉咬了一口，也算是罪有應得，咎由自取，最最倒楣的人該算是傅友德了。

明太祖能夠爭得天下，得力於幾員不怕死的猛將，傅友德就是驍勇善戰的一位。

傅友德原是宿州人，自幼騎馬射箭擊槊刺槍樣樣行。元末大亂，他先是投在李喜喜幕下，李喜喜敗了以後，又跟過明玉珍、陳友諒，都沒什麼大發展。一直到明太祖討伐江州，傅友德率部在小孤山歸順太祖，太祖慧眼識英雄，把傅友德安插在常遇春旗下，不一會兒工夫，便顯現他不凡的身手。

明太祖親征武昌之時，東南一座高冠山防守嚴密，明太祖回頭問：『誰敢出戰？』

後面一將，縱馬挺槍而出，正是傅友德。

『好，撥你一萬人馬，看你的表現！』明太祖甚爲嘉許。

那高冠山上矢石如雨，傅友德卻毫不畏懼，挺槍躍馬殺入敵陣，左衝右突，如入無人之境。手起處，刺入敵將心窩，殺了一個，拍馬舞刀，又劈了一個，有如虎入羊群，縱橫莫當，簡直比武俠電影中的高手還要厲害。傅友德的部下見主帥如此勇猛，也抖擻精神，於是鼓聲大振，喊聲大舉，如天摧地塌，岳撼山崩。敵兵個個驚慌，馬不及鞍，人不及甲，四散奔走。傅友德頰上中一矢，腦後中一鏃，血盈袍鎧，仍然向前衝殺追敵。

武昌戰役以後，傅友德升爲武衛指揮使，難得的是他一路升官，卻永遠還是一馬當先，跑在部隊最前面，把命完全豁了出去，明書中形容他是『身冒百孔，自偏裨（音皮，副將）至大將，雖被創，戰益力』，這麼一個忠心耿耿的傅友德，怎麼會被明太祖猜疑？

閱讀心得

【第696篇】

傅友德的悲劇。

根據徐禎卿的《翦野勝聞》中記載，有一回，明太祖微服私訪，到了一座破廟，裏面空空蕩蕩，半個影子都沒有。

忽然間，明太祖瞥見牆上畫了一個布袋和尚，旁邊題著一首打油詩：

『大千世界浩茫茫，收拾都將一袋藏，畢竟有收還有放，放寬些子又何妨。』

明太祖伸手一摸牆，嚇，竟然是濕的，墨還未乾，可見得寫詩諷刺他的人還在附近，他立刻下令『搜！』結果啥也沒搜到。

這則故事不一定是眞的。不過，倒是確切地表示了當時人的心情，埋怨明太祖把天下收得太緊了。

傅友德是明太祖手下一員猛將，爲明朝立下了不少汗馬功勞，藍玉案之後，雖然他毫無瓜葛，心裏也毛毛的。

當然，過去明太祖要仰仗傅友德時，對他是異常偏愛的。洪武初年，傅友德生擒元大將李二，明太祖大悅，任命他爲江淮行省參政。並且派中書參議李飲冰、楊希聖兩個人，帶著美麗的樂妓一塊兒飲酒。

既然是皇上交辦的，豈能不喝個痛快。於是，喝到最後，三個人放浪形骸，連衣服都脫光光，一絲不掛到天明。

這件荒唐的事，被明太祖知道了，氣得在李飲冰、楊希聖的臉上黥面。（黥音晴，是古代的肉刑之一，在額臉上刺字，然後用墨塗上去，讓囚犯一輩子見不得人，又稱之爲『墨刑』。）

李飲冰、楊希聖二人都是有頭有臉的中書參議，臉上刺了字，走到那裏都被人指指點點，眞是恨不得一頭撞死。

明太祖好言好語安慰傅友德：『卿振甲冑出百死，痛快喝一場也應該，他二人是士人，怎可如此放蕩？』

傅友德一面叩頭謝恩，一面心中直呼『好險！』脊梁上一陣一陣的發冷，算是領教了明太祖乍冷乍熱捉摸不定的性格。

自此之後，傅友德打起仗來，更是不要命的往前衝，希望用彪炳的戰功，換取明太祖對他的信任。

但是，這一會兒，明太祖爲了保護太孫，不留情面的剷除功臣，傅友德又不免心驚膽戰了。他會不會因爲功高震主而遭殃呢？定遠侯王弼和傅友德有同樣的憂慮，在下朝時，壓低了聲音道：『陛下春秋高，我輩不知會怎樣？』

這話被多事的聽到了，傳入明太祖耳中，明太祖認爲他二人拿他的死期當話題，非常非常不開心。

過了沒多久，明太祖舉行冬宴。朝臣們最不喜歡吃這個飯，氣氛凝重，個個忐忑不安，卻還要強扮笑臉，裝作一副盡樂的模樣。

傅友德聽說明太祖對他不滿，心裏頭十分緊張，演戲也演不出來了。

當他抬頭，偷眼瞧明太祖，只見明太祖正以嚴峻的目光瞪著他，臉上板得一絲笑容也沒有。

傅友德臉都嚇青了，不由得打個寒噤，因此，十二道酒席端上來，撤下去，他一筷子也沒動，怔怔地發愣。

明太祖一直注意觀察著傅友德，傅友德原是帶兵打仗的粗人，一頓非八大碗不飽，這會兒竟然甜湯也沒喝一口，簡直讓明太祖難堪。

冬宴完畢，明太祖特別把傅友德留了下來，責問道：『你剛才爲什麼不吃東西？是不是嫌菜色不好？』

傅友德跪在地上，不敢吭氣兒。

『你這是大不敬的行爲——』明太祖接著嚴厲地吩咐：『明天，帶你兩個兒子來！』

傅友德從筵席開始，就已經魂不守舍，被太祖一喝斥，只覺腦中一片嗡嗡之聲，聽不確切明太祖在說什麼，又不敢再問一遍，加上疾驅入殿，起跪磕頭，心情緊張，只覺得七上八下，就差沒四脚朝天昏了過去。他踉踉蹌蹌走出殿，小心翼翼地問衛士：『對不起，方才陛下最後說什麼？』

『皇上吩咐，要你明天把兩個兒子的頭帶來。』衛士冷冷地說道。

傅友德只覺一顆心不斷不斷地往下沉，牙齒格格作響，額頭上陣陣冒汗。他實在不明白，他恍惚記得明太祖是要他帶兩個兒子來，衛士爲什麼說明太祖要他兒子的腦袋，何況他長子傅忠還娶了壽春公主，是駙馬爺啊。

但是，天威難測，又不能回頭去問明太祖，傅友德失魂落魄地回到家裏，心亂如麻，眞希望方才一場冬宴，只不過是一場噩夢。

『哐哐』，窗外的更夫已打了四更，馬上就要天亮了。傅友德終於下定決心，躡手躡脚潛入兒子的房間。傅忠好夢正酣，傅友德拿出削鐵如泥的尖利匕首，對準兒子的喉嚨一刺，傅忠要叫也來不及，一雙眼睛瞪得好大，似乎在問：『爹，怎麼回事？』

傅友德長嘆一口氣，用同樣的手法結束了次子傅讓的性命，把兩個首級割下，放入匣子中，心中不斷在滴血。

第二天一大早，傅友德用發抖的雙手恭恭敬敬捧著匣子，直挺挺地跪在冰冰涼涼的青磚地上，心忖，雖然犧牲了兒子的命，斷了傅家的後，到底完成了明太祖的使命，保住了一條老命。

不料，明太祖怒聲問：『你兒子呢？』

傅友德把匣子打開，赫然出現兩顆死不瞑目的人頭。

『我要你把兒子帶來，你幹什麼殺了兒子？虎毒不食子，你，好殘忍！』

傅友德不敢分辯，退朝之後，當天晚上用同樣的匕首自殺。他只是不明白，明太祖何苦要導演這一幕，讓他臨死之前成爲殺兒子的兇手。

閱讀心得

【第697篇】

明太祖上朝打屁股。

明太祖出身低微，爲了隱藏自卑感，他努力地在臣民心目之中造成帝王威嚴不可侵犯的意識，把專制政權推展到達極致。『廷杖』就是他使用的方式之一。

所謂廷杖就是打屁股，指的是古代帝王在朝廷上，杖打直言犯諫或忤旨的大臣，稱之爲廷杖。

廷杖始於唐玄宗之時，御史蔣挺，在朝堂之上被玄宗下令打屁股。張廷珪曾經上奏：『御史可殺不可辱。』唐朝之時，廷杖是很少出現的事。以後，金朝也有動用過廷杖，不過是偶一爲之，其用意是侮辱大臣，予以難堪。

一直到明太祖，廷杖才『發揚光大』，而且是結結實實的打。雖然在明朝憲宗成化以前，凡是打屁股，總是先用厚厚的棉布，疊了一層一層，墊在屁股上，然後再開打。可是，重責四十大板下來，還是得要躺上幾個月，抹上特製的金創草藥才能夠恢復。

到了明朝武宗正德年間（就是民間故事遊龍戲鳳的正德皇帝），開始把廷臣的褲子脫去打屁股，眞是羞辱到家。

打屁股不但肉會疼更會心疼，中國古代一向『刑不上大夫』，保存士大

夫的顏面。在漢朝皇帝甚少責備廷臣，眞要做了不容於法之事，皇帝賜一包毒藥，一匹白綾，讓廷臣服毒或是上吊，即使是死，也讓廷臣死得有尊嚴。

明太祖因爲濃厚的自卑感作祟，故意想要摧毀士大夫的尊嚴，因此，尋常人家就是打小孩，也要關起房門才來責打，他偏要在大庭廣衆的朝廷之上，公公開開打屁股，把讀書人的尊嚴徹底踐踏在脚底。

如果說臣子犯了錯，皇帝打他屁股還有道理。可是，明太祖喜怒無常，臣子就算是做好事，也有屁股遭殃的可能，茹太素就是最好的一個例子：

茹太素是洪武三年的進士，旋即授監察御史。他是一個無書不讀的飽學之士，在學問上面，大大地有成就。

但是，茹太素並不是把頭栽入書本，不問世事的人。他也不滿意某些學者，終日窮年兀兀，辯論朱熹與陸九淵的學說有什麼不同。在他看來，『平時袖手談心性，臨危一死報君王』是放馬後炮的行爲。眞正的讀書人，要有勇氣講眞話，這才是爲民造福。

因此，他在擔任監察御史、四川按察使、刑部侍郎之時，屢次上書，向明太祖提出應興應革的意見，明太祖也往往會予以採納。

明太祖天生疑心病重，他不放心親手打下的江山，斷送在因循苟且的官吏手中，因此，竭盡可能，把大大小小的事務，完全攬在自個兒身上。

他每天，天還微曦就起來辦公，一直到深夜，沒有休息，沒有假期，沒有娛樂。而奏章打開，十之八九都是煩死人的頭痛事。日積月累下來，明太祖眞是厭膩到了極點，又不能不捺著性子細讀，眞是苦不堪言，因此，明太祖得了皇帝的『職業倦怠症』。

洪武八年某天明太祖循往例，揭開紫檀書案上的黃匣子，但見黃色絲帶束著一大疊摺子，原來是茹太素用端楷寫的『陳時務』，明太祖迅速一瞟，約莫估算，起碼有萬言以上，實在懶得一個字一個字看下去了。

他長長吁了一口氣，用手指在太陽穴上按了按，朝後一靠，指著中書郎王敏道：『你來唸吧，我懶得看，眼睛發痠。這些摺子還不都賣弄學問，冗長不中用，我看多了，眞是煩！』

於是，王敏磕完了頭，接過摺子，開始一字一字往下唸。

明太祖聽得直想打瞌睡，眼皮都垂下來了，忽然之間王敏唸道：『才能之士，數年來僥倖存活者，百無一二，朝廷之上的都是迂儒俗吏！』

明太祖睡意全消，猛拍匟几道：『不用唸了，明天把茹太素給我找來！』

第二天茹太素來了，仍是一派瀟瀟灑灑，從容不迫，身長玉立，風儀極美，舉止相當漂亮。

明太祖怒聲斥責：『你說朕用的全是迂儒俗吏？』

茹太素似乎不怕天威，侃侃直言，音吐洪亮：『確實如此，長此下去，恐非國家之福。』

茹太素話來不及往下說，明太祖已經老羞成怒，站起身來，臉紅脖子粗下令：『打二十大板。』

差役狠狠打了二十板屁股後，明太祖沉著臉說：『看你以後還敢不敢大發謬論。』

下朝以後，明太祖氣消了，轉念一想：『這茹太素雖然出言不遜，腹中倒是頗有見地，也許摺子中還眞有好的主張。』

於是，第二天上朝明太祖捺著性子，命王敏重新唸一遍，發現其中有四款著實可以實行。不由得長嘆一聲：『做皇帝難，做臣子也不容易，朕所以下詔求直言，就是要聽老實話，但是文詞嚕囌，摸不清要點。茹太素的要點，五百字足夠了，何必寫這麼一大篇？』

明太祖下令中書省，以後規定奏對格式，文詞太多，徒亂人意。從此以後，明太祖聽奏章省了不少時間。

不過，從明太祖實錄統計，單單洪武十七年九月十四日到二十一日，八天之內，內外諸司奏劄共有一千六百六十件，共有三千三百九十一件事，平均一天聽上兩百件報告，處理四百多件事，眞夠他煩的。

明太祖也知道茹太素一片丹心，所以茹太素經常出言頂撞，依明太祖的脾氣應該論斬，到頭來還是打打屁股，算是處罰。

有一回，明太祖賜宴，敬茹太素一盃酒道：『金盃同汝飲，白刃不相饒。』茹太素磕了一個頭對曰：『丹誠圖報國，不避聖心焦。』意思是說，即使明太祖白刃相向，爲了報効國家，茹太素不怕聖上心焦，該講的話還是非講不可。

像茹太素這麼一個赤膽忠心的好人，可惜也在詹徽案中牽連致死。

閱讀心得

【第698篇】唐肅的筷子風波。

中國人常說：『禮多人不怪。』但是，碰到明太祖朱元璋，這句話卻並不管用，才子唐肅就因爲禮多反而遭了殃。

唐肅是越州山陰人，精通經史、陰陽、醫卜，極有才氣，與上虞縣的謝肅齊名。由於兩個人都有一個『肅』字，人稱爲『會稽二肅』。鄉里的人均以他二人爲榮。

張士誠起兵時，爲尊重讀書人，派他擔任杭州黃岡書院山長，主持教育工作。因爲他辨學認眞，又調爲嘉興路儒學正。

後來，張士誠兵敗，唐肅又逢父喪，回到家鄉，明太祖聽説有這麼一位學養兼具的讀書人，下詔把他請到京城擔任翰林。

明太祖爲表示禮賢下士，特別請唐肅赴宴。唐肅早知道明太祖不好伺候，爲吃這一頓飯，心裏相當緊張。

唐肅一位會稽老鄉對他説：『此去若是談得投機，兄台日後必然平步青雲，仕途得意，到時候，別忘了扶持小弟一把。』

『當然，我一向最念舊的。』

『不過，你可得小心應付。今上脾氣大得很，你可別學劉洎登床。』

唐肅苦笑道：『我有幾個腦袋？』

所謂劉洎登床，是個有名的典故，劉洎（音記）是唐太宗時代的臣子。唐太宗一向喜好風雅之事，尤其擅長書法，唐太宗著迷王羲之的書法是歷史上有名的事。其實，唐太宗本人的書法也是一絕。他寫的是飛白體。（飛白體是書體的一種，東漢時蔡邕所創，筆勢飛舉，而筆畫之中絲絲露白，像是用枯筆寫成的樣子。）

有一次，唐太宗在玄武門舉行宴會，請三品以上的官員喝酒，趁著幾分薄醉，唐太宗突然宣佈：『我想寫幾幅字，送給各位留念。』群臣都不約而同叫好，大家圍攏來，觀賞太宗濡筆寫字。每寫好一幅，個個都伸手來搶，太宗的眞蹟掛在家裏，不但風光露臉，而且可以當成傳家之寶，實在吸引人。

由於大夥擠成一團，搶得太熱烈了，有那劉洎情急之下，竟然爬上皇帝的寶座（所謂御床，指的是座椅，非床舖），一隻手伸得老長，像動物園裏的長臂猿猴一般，越過唐太宗的肩膀，搶到了一張剛出爐的書法。

當劉洎拿到了字，酒也一下清醒了，嚇得冒出一身冷汗。

旁邊的臣子們一塊跪下，都說：『洎登御床，罪當死，請付法！』

唐太宗倒是全不當一回事，哈哈一笑道：『今見劉洎登床，好玩！』

在唐太宗看來，他的書法如此搶手，還是挺得意的一樁事。若是換了其他君主，劉洎都得倒楣。假如是明太祖，那更是死路一條。

唐肅當然了解明太祖不比唐太宗豁達，因此與太祖同桌共食，儘管是山珍海味，吃得是戰戰兢兢，汗流浹背，完全不知吃下去的是什麼東西。

明太祖問唐肅：『聽說你名列北郭十才子之一？』

『不敢。』唐肅小心地回答。

『其他九位是那些人？』

『高啓、王行、徐賁、高遜志、宋克、余堯臣、張羽、呂敏、陳則，連臣一共十位。』

『嗯，有才學之士應該多爲朝廷効力。』

明太祖是個無趣之人，想不出什麼話題，一張臉板得毫無笑容。唐肅伴君吃飯，苦不堪言，捱了又捱，終於結束了，唐肅頓時心頭輕鬆不少。站起身來，瀟瀟灑灑拿著筷子打恭作揖，準備告辭。

明太祖沒料到唐肅有這樣的舉動，臉色一變，厲聲喝斥：『這算什麼禮？』

唐肅一見皇帝發怒了，連忙跪在地上討饒：『這是臣小時候家鄉的俗禮。』

明太祖更火了，用責備的語氣大聲說道：『俗禮可以用來對待天子嗎？』

唐肅悚然心驚，不敢再開口，只是一個勁兒的磕頭再磕頭。

明太祖暴躁地吩咐：『你回去吧！』

唐肅失魂落魄步出皇宮。回到家裏，家人七嘴八舌地問東問西：『都吃了什麼美味？』『皇帝說了些什麼？』

唐肅一言不發，渾身發抖，兩行熱淚，滾滾而下，他忍不住哀聲長號，但又趕緊掩住了嘴，只是喃喃自語：『壞了！』

待親朋好友問明了前因後果，有那樂觀的說：『這沒什麼滔天大罪，不過是拿著筷子行個禮，俗話說得好，禮多人不怪。』卻也有人表示不同的看法：『你們不知道，皇上脾氣拗得很，不小心惹毛了他，準會倒大楣。』

唐肅自己也是七上八下，不停地安慰自己：『沒什麼，過兩天，皇帝的氣消了，也就沒事了。』

結果第二天，明太祖的詔令頒下，唐肅以『不敬』的罪名，被謫放到濠州。

唐肅自從被明太祖莫名其妙喝斥以後，想起來恍如一夢，腦中空空蕩蕩，反而不知道什麼是悲傷了。

赴濠州之前，老鄉前來送行，兩人握別，想起來還曾經許諾要提拔朋友，如今好夢碎了，心也碎了。

唐肅到了濠州，自忖一代才子失官被逐，蟄居偏遠他鄉，落得窮愁潦倒，只爲了拿著筷子，打恭作揖。

以後，每日三餐，唐肅拿起筷子，想起當時情景，便自怨自艾，他也始終不明白，他究竟犯了什麼『不敬』之罪，沒過多久，死在濠州任上。

專制的可怕，正在於此。

閱讀心得

【第699篇】李仕魯效法韓愈。

明太祖是小和尚出身，即位以後，一改元朝的喇嘛教，全力振興佛教。他親自撰寫《御製護法集》，並且特設『僧官』，管理天下的僧侶與寺廟。

明太祖曾經下詔東南戒德名僧，在蔣山舉行法會和群臣頂禮膜拜。僧徒之中若有應對稱意者，明太祖龍顏大悅，就會賜給一件金襴袈裟衣。

對於若干著名的大僧，明太祖不但把他們請到宮中，並且擢爲高官，希望能當明太祖的耳目。

明太祖記得，當年他離開皇覺寺，捧著木魚，赴各地化緣，東奔西走，餐風宿露，固然相當辛苦，卻也打探到不少新鮮事。

如今他深居禁中，不容易了解民間發生的事。因此，他希望和尚能幫助他明察暗訪。

結果有些僧人品德不佳，沒有眞正探訪民隱，反而在朝廷之中製造不少是非，讒毀大臣，帶來許多無謂的困擾。

其中，尤其以李仕魯與陳汶輝二人，對這批和尚最最不滿，因爲他們是孔孟的信徒。特別是李仕魯，一輩子最崇拜的人是『文起八代之衰，道濟天下之溺』的韓愈，而韓愈正是排佛最力的代表人物。

李仕魯爲了表明志向，字宗孔，意思是以孔老夫子爲宗師。他自小用

功好學，曾經整整三年，把自己關在書房裏，眼睛從來不瞄一眼戶外。自今天的眼光看來，當然有點不衛生，但也可見李仕魯用功之勤了。

洪武年間，有人推薦李仕魯給明太祖，誇讚李仕魯是『朱熹的傳人』。明太祖一見大喜，對李仕魯說：『我找你找得好久，眞是相見恨晚。』

『相見恨晚』這四個字，一直在李仕魯胸中鼓盪。爲了報答明太祖的知遇之恩，李仕魯一直在琢磨該如何竭智盡忠。當他看到明太祖爲僧侶所惑，深深覺得這是該講話的時候了，爲此，李仕魯再翻開唐書韓愈傳，一遍又一遍的研讀，其實他早可以倒背如流。

在唐憲宗之時，由於憲宗派遣使者，遠赴鳳翔把佛骨迎入宮中，祭拜三日。王公士人跟著起鬨，甚且故意用火灼燒身體，表示虔誠。韓愈看在眼裏，十二萬分地不以爲然，他寫了一篇措詞相當相當尖銳的奏章給唐憲宗。

韓愈直率地批評：『臣雖然至爲愚笨，必然知道陛下不會爲佛所惑。』憲宗明明崇佛，韓愈的話，等於拐彎罵皇帝愚蠢，憲宗一看，臉都綠了。韓愈又繼續發表高見：『佛，本是夷狄之人（印度人），與中國言語不通，衣服不合。口不道先王之法言，身不著先王之法服，不知君臣之義，父子之情。

『倘若佛活到今天，陛下就是接見佛，也不過賜他一件衣服。何況佛死了這麼久，不過是一堆兇穢的枯骨。我建議把佛骨放火燒掉，或者淹到水裏，永絕根本，斷天下之疑。』

憲宗氣得牙齒格格作響，高呼宰相，要把韓愈處死。堂上堂下，空氣一片僵硬。過了半天，裴度、崔群才鼓起勇氣打圓場：『韓愈言語頂撞，固然是大不敬，卻也是出於對陛下一片忠心。』

『哼，』憲宗氣呼呼地說：『韓愈批評我信佛太過，猶可容忍。你們看看，他是如何詛咒我早日歸天！』

裴度雙手接過來一看，只見韓愈在爲古代帝王統計壽命：『黃帝在位一百年，年一百一十歲，堯年百一十八歲，舜、禹也都活了一百歲，都是人瑞。這時，天下太平，中國還沒人信奉佛教。

『到漢明帝時才有佛法，明帝在位不過十八年。宋齊梁陳以後，皇帝愈來愈信佛，壽命一天比一天短。只有梁武帝在位四十八年，算是最長的。

但是，梁武帝三次捨身佛寺，最後被侯景所逼，在臺城活活餓死，國家也滅亡了。拜佛求福，反而遭禍，由此看來，不信佛也罷！』

韓愈的話實在難聽，裴度不敢再爲韓愈力爭。憲宗還算客氣，沒要韓愈的腦袋，只把他貶到潮州。

李仕魯『風簷展書讀，古道照顏色』，決心效法韓愈，他一連上了數十篇奏章，反覆上諫：『陛下方創業，凡是意指所向，都指示子孫萬世法程，奈何捨棄聖學，崇尚異端。』

李仕魯的奏章卻是石沉大海，毫無回應。他忍耐不住，沒經明太祖同意，逕自跑到明太祖面前，負氣地說：『陛下深溺佛教，難怪臣言聽不入耳也，我現在還陛下笏，請陛下讓我回鄉養老。』

說著，李仕魯竟然把笏往地上一扔。

李仕魯的直言頂撞，明太祖早怒不可遏，他氣得眼睛睜得好大，形相可怖。

朝廷上下都被李仕魯的剛毅所鎮懾，也感受到山雨欲來風滿樓的恐怖氣氛。不知明太祖會採取怎樣嚴厲的處置。

自從明太祖登基以來，還沒人膽敢如此犯上，他大喝一聲：『武士來，把他給扔下去。』

於是一名武士向前動手，剛扯著李仕魯的衣袖，他使勁將手往回一奪，虎著臉喝道：『你要幹什麼？』話還沒說完，武士用力地一捶，李仕魯當場死在階梯下。

閱讀心得

【第700篇】

王朴鬧刑場。

由於明太祖晚年脾氣暴躁，動輒當朝打大臣的屁股，甚且大開殺戒，絲毫不留情面。在這樣恐怖的氣氛之下，人人自危，大臣們每天早上去上早朝，彷彿去刑場似的。

當大臣們一早穿戴整齊，妻兒含淚相送，那個場面眞是悽慘極了。個個鼻酸喉癢，只要稍稍不留神，豆大的淚珠就會滾滾而下。

但是，誰都不敢放聲一哭，爲了怕觸霉頭，忌諱特別多。依依不捨送到門外，還要走好長好長一段路。

直到時間緊迫，再不趕快就要遲到了，靠不住因此而惹來殺身之禍，當官的老爺這才低聲吩咐：『回去吧！』

然後，老爺勉強擠出一個比哭還難看的笑容，努力裝出一臉堅毅，勇敢地踏步向前。

妻妾們眼看著老爺的車走遠了，仍然忍不住引頸佇望，低首合十，一遍又一遍地默禱：『阿彌陀佛，菩薩保佑。』簡直比親人赴戰場還要緊張萬分。

文武百官到了宮廷，沒有一個不是戰戰兢兢，汗流浹背。

朝廷裏流行一種說法：明太祖上朝之時，他的龍袍前面的玉帶，高高

欽犯
欽犯

的掛在胸前，大概脾氣好，不會殺人。

若是他用力把玉帶掀到大肚皮底下，那便是暴風雨來臨前的預兆，滿朝文武百官個個嚇得面無人色，瑟瑟發抖。

不過，以腰帶爲氣候偵測站是不太準確的，有時，明太祖先是一派悠閒，沒過多久，腰帶愈拉愈低，彷彿颱風天，氣象局一連掛出幾個風球。總而言之，颱風警報永遠沒有解除過，所差的，只是強烈颱風、中級與輕度颱風之別而已。

文武百官身處暴風圈之中，日子實在過得好辛苦好辛苦。

終於盼到下朝了。若是一切順利，個個鬆了一口氣。若是有人或挨板子，或貶謫，甚且處死，其他人雖然暫時安全，也都有唇亡齒寒，兎死狐悲的感慨。

官老爺家中的妻兒，一直要待小廝奔走相告：『老爺回府了！』一顆忐忑不安的心才放下來。

夫妻相見，恍如隔世，相見的第一句話，竟然多半是：『感謝老天爺，又多活了一天。』明天如何？天知道！每天的晚餐也總有『最後一夜』的悽涼。

在這種風聲鶴唳的氣氛之下，若是有臣子想上諫，可得要有不怕死的勇氣。明太祖可不比唐太宗，唐太宗誇獎歡喜諫諍的魏徵爲『嫵媚』。唐太宗不接受勸諫，王珪還敢回嘴：『這是陛下辜負臣，而不是臣辜負陛下。』

但是，雖然明太祖有如兇神惡煞，仍然有不怕死的臣子，爲了國家大局，拚著一死，直言上諫，王朴便是其中之一。

王朴是洪武十八年的進士，本名王權，明太祖一看『權』字就敏感，除了他，旁人可不能有太多的權力。朴是一種落葉喬木，高五六丈，結小圓的肉果，味甜可吃，明太祖小時候當和尚之時，吃過不少，在他看來，『朴』比『權』好多了，御筆一揮，王權從此改名王朴。

王朴擔任御史，他對待皇帝，也有幾分『鐵面御史』的味道，上書直陳時事，動輒千餘言，完全就事論事，銳不可當。

他性情鯁直，經常與明太祖爭辯是非，譬如說，他反對胡惟庸案牽連太廣誅殺無辜。

『我有我的道理，你不必多說！』明太祖臉色一沉，知趣的都該閉嘴了。

王朴大不服氣，非爭不可。

『回皇帝的話，如果皇帝一意孤行，那，自己可就站不住腳了。』

這話形同頂撞，而且是針鋒相對。明太祖氣得用手不斷放下腰帶，表示怒氣沖天，要殺人了！

王朴看到空襲警報，仍然若無介事、神閒氣定講他一番大道理。

明太祖捺不住了，大聲斥下：『綁到市場去殺了！』

於是，立刻有差役向前，把王朴撳在地上，橫拖直拽拉出宮門，直奔菜市口去。

中國人一向愛看熱鬧，聽說皇帝要斬御史，夾道圍觀的百姓已擠得水洩不通。

王朴倒也不害怕，完全視死如歸。

到了法場，忽然傳來御旨，刀下留人，召王朴回去。眞是一場及時雨。

圍觀的人議論紛紛，都說王朴幸運，自鬼門關前兜了一圈又回去，這可是從未有過的事。

明太祖原以爲王朴撿回一條命，應該不住叩頭謝恩，感激涕零。不料仍是平常的神色，彷彿見了棺材仍然不掉淚。

明太祖冷笑道：『這下你知道利害，應該悔過了吧？』

王朴卻用鄭重的語氣回答：『陛下不以臣爲不肖，擢爲御史，又何必如此摧殘辱沒臣？如果臣無罪，憑什麼殺臣？如果臣有罪，又何必放了臣？』

一頓搶白，駭得明太祖啞口無言，氣得說不出話來，好久才迸出一句：

『你不識好歹！』

王朴平靜地說：『臣今日願意速死！』

『好，我就完成你的心願！』明太祖咬著牙獰笑著。

聽說剛放回的王朴又要綁赴法場，菜市口前人聲鼎沸，都想看看這不屈的御史是何模樣，個個踮起腳跟伸長了脖子。

王朴不愧爲硬漢，不但毫無畏懼神色，當他的騾車經過史館時，他竟然高唱：『學士劉三吾請你記下來，某年某月某日，皇帝殺無罪御史王朴！』

王朴的臨終遺言，傳遍菜市口，有人怪他死到臨頭還嘴硬，也有人暗暗翹起大拇指：『到底是眞正的讀書人！』

議論之聲仍在嗡嗡不停，忽然傳來暴雷似的一陣呼嘯，這不知是何時傳下來的規矩，凡是在刑場觀看劊子手一刀下去，必定跟著高喊，免得鬼魂附身。這一陣呼嘯，讓多少大臣心膽俱裂，渾身發抖，這也是明太祖的用意。

王朴臨終向史官一喝，大傷皇帝顏面，因此明太祖親自寫大誥，批評王朴『誹謗』。王朴膽敢誹謗天子，無怪名留青史。

閱讀心得

【第701篇】張士誠的姓名玄機。

明太祖朱元璋在洪武二十八年，下了一道手令：『朕自起兵到今天，已有四十餘年，親理天下庶務，人情善惡眞僞，無不涉歷，其中奸頑刁詐之徒，情節特別深重者，必將法外加刑，使人知所警懼，不敢輕易犯法。』

自以上這段話之中，可見嘗遍人間險惡的明太祖，十分厭惡『奸頑刁詐』之徒。不過，被明太祖重重責罰的奸頑刁詐之徒，有些固然是刁民，卻也不乏無辜被冤枉的，因爲明太祖動不動就起了懷疑之心。

其實，明太祖原不是個小心眼的人，若非大方爽快，還眞不能帶兵打天下呢。嚴格推算起來，明太祖的疑心病是當上皇帝以後發作的。

明朝開國以後，明太祖自馬背上跨下，坐上了天子的寶座，自然要找一些文人幫他制訂朝儀制度、軍衛、戶籍等等典章規範，尤其像劉伯溫之類的讀書人，更是他諮商的對象。

久而久之，引起了武將們的不滿，打翻了醋罐子，經常前來發牢騷：『天下是我們出生入死打下來的，現在那些瘟生讀書人一個一個爬到我們頭頂上，眞是豈有此理。』

明太祖總是安撫道：『治理天下不比騎馬打仗，當然必須借重讀書人。』

武將們撒嬌無果，改用下毒的方式，在明太祖面前挑撥離間：『皇上相信讀書人當然是好事，但是呢，也不能過於相信，否則會吃虧上當的。』

『噢？』明太祖抬了抬眉毛，露出不以爲然的神態。

『眞的，陛下要小心。』另一位請教了高明的武將接口：『文人喜好賣弄學問，罵人不帶髒字。譬如張九四，他祖父九十四歲時他生下來的，這個名字雖然稍嫌土氣一點，倒也相當吉利。後來，文人們一起鬨，都說九四這個名字不夠典雅，應該另外去取一個官名，就改名爲張士誠。』

『張士誠很不錯啊！』明太祖隨口應道。

『聽起來是不壞啦。事實上可不是如此。孟子上有一句話「士，誠小人也。」連在一塊唸，不就是「士誠，小人也。」可憐那張九四，禮遇文人一輩子，被罵了一輩子小人，自己還揚揚自得，而且到死還不知道哩。』

明太祖一聽，眉心深鎖。孟子主張：『民為貴，社稷次之，君為輕。』一向是他最看不順眼的古人。不過，『士』乃舊稱讀書、研究學問的人，孟老夫子怎麼會罵讀書人是小人呢？

明太祖最怕人家識破他肚子裏沒有學問，他若是開口發問，倒顯得他孟子一書學得不精，背得不熟。因此，他閉口不言，晚上在書房裏，抽出孟子一書，逐一翻閱，果然，在孟子公孫丑篇明太祖看到這一句怵目驚心的：『士，誠小人也。』

孟子倒並不是要罵士，這兒的士，是個齊國人，名叫尹士。其中還有一段故事：

孟子尚友古人，私淑孔子，受業於子思的門人，繼承了儒家的傳統。他最仰慕孔子，認爲孔子是最偉大的聖人，當時的人，也把孟子視爲孔門的傳人。

孟子學成以後，與孔子一般，周遊列國，希望能夠找到一展長才的地方。但是，始終未能如願。

齊宣王元年，新王即位，正是大力延攬人才的時候，孟子就離開梁國，遠赴齊國。

由於孟子是個很有名氣的人，當他到達齊都臨淄時，也不曉得齊國好事之徒，把孟子宣傳成什麼一個模樣。齊宣王眞是好奇得很，他竟然派了人去偷看孟子的長相，看看有什麼與衆不同之處。

後來，儲子把這件事告訴了孟子。孟子啼笑皆非一攤手：『怎麼會有什麼不同呢？堯舜也是兩個眼睛，一個鼻子，一張嘴巴。』

齊宣王發現孟子長相無奇特之處，雖不免有些失望，但是，爲了虛榮心，還是禮聘孟子入朝。

孟子覺得齊宣王本性善良，因此多方面開導他，例如，有一天，齊宣王見到一隻等著用來祭祀的牛，害怕得不斷發抖，齊宣王覺得好殘忍，下令：『用羊換了吧！』

孟子半開玩笑對齊宣王說：『老百姓以爲大王吝嗇，捨不得用牛要用羊。而且牛如果可憐，羊莫非就不可憐。』

齊宣王噗哧一笑：『對啊，我這是什麼心理？』

孟子乘機教育齊宣王，這正是仁術也是『君子遠庖廚』的道理，因爲聽到動物哀鳴，就不忍吃牠的肉。大王應該把仁術推廣到天下。

但是，齊宣王雖然天眞未泯，卻是野心勃勃，有過不肯改。孟子前後兩次赴齊，最後還是黯然離開。齊國人尹士感慨地說：『孟子如果不明白齊王不可能成爲商湯和周武王，就是糊塗不明。如果知道不可能，卻還一心來到齊國，就是自己想求取富貴。跋涉千里前來，見到齊王，因爲意見不合而去，卻又住了三夜，方才離開，爲什麼如此拖拖拉拉不乾脆，換了我尹士就不來這一套。』

孟子的學生高子把這番話告訴了孟子。孟子笑笑：『那個尹士那裏知道我呢，走了迢迢千里來見齊王，是我願意的，因爲意見不合的緣故而離去，難道也是我願意的嗎？我實在是萬不得已。我住了三夜才離開，因爲我一心期盼齊王能悔改，把我追回去。如果齊王肯用我，那麼，豈止齊國能夠安定，天下的人民都能夠安定。莫非要我像一些器量狹小的人一樣，勸諫國君而國君不能接受，立刻一臉忿忿不平的模樣？』

尹士後來聽到了這一段，慚愧地說：『士，誠小人也。』意思是說：『我這尹士還眞是個小人。』

『士，誠小人也』是這麼來的。幫張九四命名的讀書人究竟眞的是損人，暗暗罵張九四是小人，還是巧合而已，只有天知道。

無論如何，明太祖從此以後，開始在雞蛋裏挑骨頭，鬧出許多慘案。

閱讀心得

【第702篇】

明太祖大興文字獄。

自從有人『指點』明太祖，張士誠的名字是出自孟子公孫丑篇『士，誠小人也』以後，明太祖經常捧著孟子一書，長吁短歎，然後，氣呼呼地把書朝地上一扔，恨恨地說：『張士誠是個大老粗，糊裏糊塗被人家罵了一輩子小人，我朱元璋可是讀過書的，不會上這個當！』

於是，原本多疑的明太祖，時時刻刻把『防人之心不可無』，刻在心版上，果然，被他找到許多陷阱。

某天，明太祖因事賞賜一個和尚，和尚為了謝恩，卯足了勁兒拍馬屁，寫了一首肉麻噁心的詩，誠惶誠恐呈了上去。

明太祖瞇了眼睛看了半天，起先相當得意，嘴角不自覺地浮起了笑意，可是，晚上臨睡之前，把謝恩詩拿出來再欣賞一番，他逐字推敲，就像人們元宵節猜燈謎一般。

忽地，明太祖一拍腦袋，『該死，這個混帳和尚拐彎抹角在罵我。』

原來，和尚詩中有『殊域』二字，明太祖心想：『殊字拆開來，便是歹朱二字，這不是存心罵我朱元璋嗎？』

一心想巴結皇帝的和尚，馬屁拍到馬腳上，被斬首示眾。

有強烈自卑感的明太祖，做過討飯的和尚，殺人的盜賊，這是他胸口

永遠的傷痛，自從在文字中找陷阱、在雞蛋中挑骨頭以來，他還眞的找到不少骨頭。

例如，北平府學訓導趙伯寧寫的萬壽表之中，有一句漂亮話『垂子孫而作則』。明太祖在口中反覆地唸，『作則，作則，這不是嘲諷我做賊嗎？』明太祖眞正是氣壞了，他面有恨色地說：『好，讓我查個清楚，看看誰故意用「作則」暗示我當過賊。』

這一清查之下，浙江府學教授替海門衛作增俸表，其中有『作則垂憲』；福州府學訓導林伯璟爲按察使撰賀冬表中有『儀則天下』；桂林府學訓導蔣質爲布政使按察使作正旦賀表之中有『建中作則』，澄州學正孟清寫賀冬表中有『聖德作則』。

『作則』，原本是中國人行文中常見的字眼，所謂『以身作則』，明太祖一口咬定作則者做賊也。誰也沒法子辯白，一律處死。

文字獄一興，原本忐忑不安的讀書人更加不安了，寫任何一個字，都要斟酌再斟酌、考慮再考慮。即使如此，欲加之罪，何患無辭，明太祖根本不講道理嘛。

譬如當州府訓導蔣鎮爲本府作正旦賀表，其中有四個字『睿性生知』，蔣鎮左看右看，應該不會出問題，豈料明太祖認爲『生』是『僧』的諧音，蔣鎮這廝故意罵他和尚，非殺不可。

不但『生』與『僧』同音，必須斬首示衆，更荒唐的是，詳符縣學教諭賈翥作正旦賀表，其中有一句：『取法象魏』。

明太祖一摸腦袋，想起當年光著頭敲木魚的情景，氣急敗壞道：『好哇！取法不是去髮嗎？這頭髮一去不就是個禿腦袋嗎？你小子罵我禿腦袋，我讓你腦袋搬家！』

明太祖對頭髮還眞正是特別敏感，尉氏縣尉教儀諭許元作萬壽賀表，『體乾法坤，藻飾太平。』『法坤』被明太祖看成『髮髡』，『藻飾太平』則被他曲解爲『早失太平』，這還用說，當然是死路一條。

杭州教授徐一夔賀表中有一句：『光天之下，天生聖人，爲世作則。』把個明太祖捧得天一般高。

可是明太祖把徐一夔罵個狗血噴頭：『光天之下，光頭是指薙了頭髮，「生」者，僧也，意思是說，我是個光頭和尚，而且還做了賊。』

明太祖的拆字功夫，把禮部官員都嚇傻了，卻又無從辯解。

總而言之，凡是歌功頌德的漂亮話，到了明太祖眼中，都可以找出毛病。德安縣訓導吳憲爲本府作賀立太孫表：『永紹億年，天下有道，望拜青門。』被偉大的明太祖一解釋，『有道』變成『有盜』。『青門』，這還用得著說嗎？當然是寺廟了，於是吳憲也問斬。

在文字獄之下受害者不計其數，除了自認倒楣以外，也真的沒什麼可說的。唯一的一條漏網之魚，是一位翰林編修張老先生，姓名不可考。

張老先生一向嫉惡如仇，性情剛直，因爲得罪不少人，被貶爲山西蒲州學正，依照慣例，由他負責撰寫慶賀表。

明太祖瞇起眼睛看了半天，果然又給他挑出問題，他氣咻咻道：『天下有道，意思是天下有盜，這老頭子竟然罵我強盜。』

於是，二話不說，把張老先生綁了來，瞪著眼睛教訓道：『你還有什麼話說嗎？』

張老先生一派從容，也沒驚慌，只是文謅謅地回答：『沒什麼可說的，只有一句話，陛下曾經指示表文不許杜撰，字字要出自經典，「天下有道」是孔老夫子講的，「萬壽無疆」是出自詩經，若一定要說臣是誹謗，臣也沒有辦法。』

明太祖見老先生一本正經，引經據典，完全一副老老實實、規規矩矩的憨樣兒，一時之間，說不出話來，剛好那天心情不壞，順口道：『他嘴硬，放了吧！』

這張老先生是唯一的一位幸運兒，其他，凡是被明太祖點了名的，都成了刀下鬼。

閱讀心得

【第703篇】明太祖忌諱一籮筐。

許多人都歡喜聽對口相聲，相聲之中惹人發噱處總是討口頭上的便宜。經常是一個騙另一個喊自己爸爸，或是爺爺。吃虧的總是氣得用扇子敲頭，觀眾也樂得呵呵一笑。

中國人是非常在乎稱謂，不允許隨隨便便開玩笑的。

類似相聲中的口頭討便宜，在明太祖身上可是絕不可能發生。洪武三年，明太祖正式下詔，禁止百姓用『天國君臣聖堯舜禹湯文武周漢唐晉等字取名』。

到了洪武二十六年，明太祖嫌前道詔令不夠周延，又下令禁止百姓取名『太祖、聖孫、龍孫、黃孫、王孫、太叔、太兄、太弟、太師、太保、太傅、大夫、待詔、博士、太醫、太監、大官、郎中……』等等。

甚且，今天備受尊重的醫生，明太祖禁止人們稱為『太醫、大夫、郎中』，只能稱為『醫士、醫人、醫者』。

總而言之，明太祖的用意，就是要不遺餘力地降低別人，抬高自己，掩飾強烈的自卑感。

明太祖既非將相之後，又不是書香門第。他父親是佃農，外祖父是巫師，實在無甚誇耀之處。於是，明太祖就在『朱』姓上動腦筋，例如唐高

祖李淵自稱爲老子李耳的後人，不是挺有光彩的嗎？

明太祖絞盡腦汁想了半天，忽然猛拍大腿道：『對啦，朱熹朱夫子不是姓朱嗎？』朱熹不但是姓朱，而且是安徽婺源人，明太祖是安徽鳳陽人，勉強可以扯在一塊。

朱熹是南宋時代大師級的學者，不論是生前死後都是響叮噹的人物，他所著的四書集註章句（論語、孟子、大學、中庸）更是元朝以後科舉考試的標準答案。明太祖假如能與朱夫子攀上關係，那可就露臉了。

想到這兒，明太祖欣然色喜，忍俊不住，積極地想在修玉牒（家譜）之時，把朱夫子給加進去。

正在此時，有個姓朱的典史前來求見，他是安徽婺源人，婺源歙溪所產的硯石，稱爲婺源硯，是讀書人夢寐以求的寶硯，朱熹恰恰是婺源人。

明太祖有意拉攏本家，故意問他：『你是婺源人，一定是朱文公的後代了。』明太祖滿臉堆著笑容，準備接著下一句：『朕也與朱文公有點兒關係。』

豈料這位朱典史是個老實人，他當然也想與朱夫子攀些關係。可是，實在湊不在一塊。尤其明太祖的脾氣一發，有如狂風暴雨，萬一撒謊，極可能在俄頃之間，遭來殺身之禍，轉到這個念頭，朱典史不由得打了個寒噤。

所以，這位姓朱的典史慚愧地回答：『朱文公是本縣敬重的前代大師，臣與朱文公沒有關係。』

這一表白，倒把明太祖愣住了。他知道，如果做皇帝的堅持，把朱熹列入玉牒，誰也不敢當面反對。

問題是，朱元璋與朱熹實在是前代毫無瓜葛，很難硬擺在一起。連區區一個小小的典史，尚且不會攀龍附鳳，朱元璋堂堂一國之君，公然僞造文書，不曉得那些個缺德的文人，會在背後如何嚼舌根。

『罷！罷！』明太祖斷然決定，乾脆效法漢高祖劉邦，明明白白宣告自己是白手起家。

因此，我們翻閱明太祖留下來的詔命，左一個『朕本淮右布衣』，右一個『朕本江左布衣』，或者『起自田畝』、『出身寒微』，眞是酸得可以。

明太祖這一套賣弄布衣的方式，完全仿效漢朝平民皇帝高祖劉邦。不過劉邦頗具流氓氣質，當了皇帝以後，也是一派江湖大哥的作風，劉邦曾經一面讓美女幫他洗臭腳，一面接見大臣，表現粗魯不文的野蠻本色，也充分享受當天子的快樂。

明太祖朱元璋也是平民出身，當了皇帝以後，心裏卻是永遠放不開，小裏小器，疑神疑鬼，弄得自己不樂，旁人也雞飛狗跳。

明太祖雖然自我標榜『布衣』，這話可是只有他能『自謙』，旁人若也照著說，除非是不要命了。

明太祖避諱多，不但見諸文字的，他要一一挑剔，就是口語，他也有許許多多的忌諱。

據說，有一回，明太祖微服出巡，偶然聽到一個老婆婆在談『老頭兒』。

起初，明太祖以爲，老頭兒是老婆婆家中的什麼人。聽到最後，方才發現，原來老頭兒指的是明太祖。而且與老婆婆說話的小婦人，也口口聲聲老頭兒。

明太祖氣得聽不下去了，他當場不能發作，忍著氣，繞到徐達家，焦躁不耐地像轉磨似的，在屋裏轉來轉去，不停地抱怨：『張士誠不過是在東南一帶割據，吳人到今天，都還恭恭敬敬稱他一聲張王。我當了皇帝，這裏的老婆婆竟然稱我爲「老頭兒」，哼！』

因此，明太祖下令把老婆婆周圍的人全殺了。其實，老婆婆稱明太祖一聲老頭兒，不見得有惡意，但是明太祖心理作祟，看這個不順眼，那個不順眼，避諱一籮筐，人也愈來愈神經衰弱了。

閱讀心得

【第704篇】明太祖的民間傳說。

明太祖朱元璋的故事，到這兒應該告一個段落了。打從『朱元璋偷吃小牛』開始，每一篇都是眞眞實實，有根有據。

以下我們要介紹一些朱元璋的民間故事，民間傳說，有的是眞的，有的不一定是眞的，正史上沒有記載，往往也因史料湮沒，無法考證。但是，這代表民間對朱元璋的若干看法，頗能反映一般大眾心理。同時，也是讀者們感到興趣的傳聞軼事。

在安徽省鳳陽縣龍興寺中，貼著一副對聯，直到今天，都還保存著：

生於沛學於泗長於濠鳳郡昔鍾天子氣

始爲僧繼爲王終爲帝龍興今仰聖人容

上聯是對朱元璋生長的沛縣、泗州、濠州、鳳陽的吹噓，中國人最歡喜標榜人傑地靈，『有天子氣』。下聯則是敘述朱元璋自一個『小和尚唸經，有口無心』，竟然創立明朝，當上皇帝。由於朱元璋的遭遇太過離奇，民間也就流傳著許許多多有關朱元璋的故事。

所謂『劉伯溫與朱洪武』一直是戲劇中百演不膩的好題材，劉伯溫指的是劉基，朱洪武則是朱元璋，洪武是明朝開國第一個年號。楊麗花歌仔

戲中曾經多次演出。

前不久，香港武打肥星洪金寶，曾經主演一部『臭頭小子』，描寫朱元璋，朱元璋到底是不是癩痢頭，史料不可考。不過，他長得其貌不揚，十分醜怪倒是眞的。

由於朱元璋出身貧困，不學無術。他初起之時，不但旁人沒有抱希望，他自個兒也從不敢癡心妄想，有朝一日竟然登上天子寶座。

因此，當朱元璋攻克婺州，分兵取浙東諸地，先後佔領諸暨處州衢州之時，他眞是十二萬分地得意，認爲自己攀上了人生的顚峰。

民間傳說：朱元璋曾經在諸暨與富陽之間的龍門山脚下，一個叫做三角街的地方紮營。

三角街是個小眉小眼小鼻子的小小地方。但是，地形險要，西連金華，東通杭州，風水甚佳，視野遼闊。

朱元璋信步走到三角街的高坡上，深深吸了一口新鮮空氣，頓覺心曠神怡，精神爲之一爽。

他拿起強弓，對部下宣佈：『各位聽著，現在，以我腳下所站的地方爲圓心，我這一箭射出去，射到的地方便是半徑，在這個大圓圈之內便是我等日後退守浙江的大本營。』

眾人一致屏息以待，靜觀朱元璋表演。朱元璋自小臂力驚人，面對龐大觀眾群，他更是存心露一露，顯一顯。

『咻！』一箭射出去，哇，居然飛了三千三百步之遙，眾人拍紅了手掌，朱元璋滿臉飛金。

由於剛好是正月裏，朱元璋還特別寫了一副春聯：『六龍時遇千金覲，五虎功成上將封』貼在大門上，有說不出的得意。

不過，原先三角街的居民可就叫苦連天了，一來，朱元璋要造城，少不得拉百姓服勞役。二來，居民勢必被趕出山城，自個兒建一個城，把自個兒的家園毀棄，這種『自作自受』的差事，百姓是一千一萬個不樂意。

朱元璋可不管這些。他一個人關在營房裏，拿著筆東圈西畫，這兒要建城牆，那兒要起個宅子，忙到三更夜半，他還捨不得入寢。

忽然之間，傳來『隆！隆……』的怪聲，一聲比一聲猛，朱元璋嚇了一跳，將領們也面面相覷，眼中流露著不安的神色。

『什麼聲音？』

部將們一攤手。

『快去找個當地人來問問！』朱元璋立刻下令。

沒多久，衛士引來一位白髮蒼蒼的老翁，原來是個打石的石匠。

『你住在這兒多久了？』

『老夫世世代代住在三角街。』

『好，那我問你，這是什麼怪聲？』朱元璋說著，用手把耳朵蒙了起來。

『這是龍的聲音！』

『龍的聲音？』朱元璋正在狐疑，忽地，傳來一聲比一聲悽厲的『哇，哇』聽得人毛骨悚然，彷彿是嬰兒被人掐緊了脖子，在做垂死的掙扎。

『這、這又是什麼怪聲？』朱元璋有些支支吾吾了，身子也微微地發抖。

老石匠不慌不忙地回答：『到了晚上，鬼都出來了啊！』

一旁的部將，個個嚇白了臉，『哇、哇』的鬼哭神嚎，擾得人心神不寧。

朱元璋鎮定地說：『老石匠，你走！』接著吩咐：『快快有請軍師。』

軍師劉伯溫來了，朱元璋趕緊拉著他的手：『你聽，這是什麼怪聲音，白天都沒有，老石匠說，是鬼叫龍吟。』

劉伯溫不作聲，雙眼緊閉，傾聽了好一會兒，緩緩地睜開眼睛，極有把握地回答：『沒錯，正是龍與鬼，此起彼落。』

『那、那這兒適合建立小京城嗎？』

劉伯溫用力地搖搖頭：『不祥之兆也。』

第二天，公雞尚未報曉，朱元璋已經迫不及待，把部隊拉開這不祥的鬼地方。

後來，朱元璋統一天下，建立了明朝。有一年，回到浙江巡查，在三角街，又聽到了不悅耳的龍吟鬼叫，朱元璋問劉伯溫：『如今我是天子，靈氣迫人，這些鬼也不曉得客氣一點。』

劉伯溫噗哧一笑，『其實，那有什麼龍，這不是龍而是礱，你仔細聽聽，不是村民磨臼的聲音嗎？』

朱元璋側耳一聽，果然是礱聲，他不服氣道：『那鬼呢？這鬼叫得多恐怖啊！』

『你沒有聽過子規夜啼嗎？子規就是杜鵑，到了春天啼叫不已，聲音悽惻，王維有一首詩：別後同明月，君應聽子規。』

朱元璋勃然變色：『你與老石匠騙我！』

劉伯溫笑道：『臣罪該萬死，不過，倘非如此，陛下今天不是陛下。』

說的也是，若非劉伯溫利用朱元璋的迷信心理，朱元璋頂多是個盤踞三角街的山大王。想到這兒，朱元璋便把三角街改名爲『應怗街』，應該怗記劉伯溫也，這條應怗街正是今天浙江諸暨的應店街。

閱讀心得

閱讀心得

歷代•西元對照表

朝　　　代	起迄時間
五帝	西元前2698年～西元前2184年
夏	西元前2183年～西元前1752年
商	西元前1751年～西元前1123年
西周	西元前1122年～西元前 771年
春秋戰國(東周)	西元前 770年～西元前 222年
秦	西元前 221年～西元前 207年
西漢	西元前 206年～西元 8年
新	西元 9年～西元 24年
東漢	西元 25年～西元 219年
魏(三國)	西元 220年～西元 264元
晉	西元 265年～西元 419年
南北朝	西元 420年～西元 588年
隋	西元 589年～西元 617年
唐	西元 618年～西元 906年
五代	西元 907年～西元 959年
北宋	西元 960年～西元 1126年
南宋	西元 1127年～西元 1276年
元	西元 1277年～西元 1367年
明	西元 1368年～西元 1643年
清	西元 1644年～西元 1911年
中華民國	西元 1912年

國家圖書館出版品預行編目資料

全新吳姐姐講歷史故事. 32. 明代/吳涵碧 著.
--初版.--臺北市；皇冠，1995〔民84〕
面；公分（皇冠叢書；第2389種）
ISBN 978-957-33-1168-3 （平裝）
1. 中國歷史

610.9　　84000130

皇冠叢書第2389種
第三十二集【明代】

全新吳姐姐講歷史故事〔注音本〕

作　　者—吳涵碧
繪　　圖—劉建志
發 行 人—平雲
出版發行—皇冠文化出版有限公司
台北市敦化北路120巷50號
電話◎02-27168888
郵撥帳號◎15261516號
皇冠出版社(香港)有限公司
香港銅鑼灣道180號百樂商業中心
19字樓1903室
電話◎2529-1778　傳真◎2527-0904
印　　務—林佳燕
校　　對—皇冠校對組
著作完成日期—1992年01月01日
香港發行日期—1995年09月25日
初版一刷日期—1995年10月01日
初版三十二刷日期—2021年05月
法律顧問—王惠光律師
有著作權・翻印必究
如有破損或裝訂錯誤，請寄回本社更換
讀者服務傳真專線◎02-27150507
電腦編號◎350032
ISBN◎978-957-33-1168-3
Printed in Taiwan
本書定價◎新台幣150元/港幣45元

• 皇冠讀樂網：www.crown.com.tw
• 皇冠Facebook：www. facebook.com/crownbook
• 皇冠Instagram：www.instagram.com/crownbook1954/
• 小王子的編輯夢：crownbook.pixnet.net/blog